성공의 파도를 서핑하는
사장
트레이닝

성공의 파도를 서핑하는

SURFING
THE WAVES
OF SUCCESS

사장
트레이닝

조계진 지음

지식공감

우리들이 살아가고 있는 세상에는 많은 종류의 산업, 다양한 종류의 사업들이 있고, 많은 사람들은 창업을 도전하며 성공을 이루고자 노력하고 있지만, 목표를 성취하지 못하는 경우가 많은 것이 현실이다. 그러나 작은 1인 기업부터 중소기업 그리고 대기업의 존재를 놓고 볼 때, 성공의 개념은 대기업과 같은 기업의 규모로 평가되어서는 안 되고, 안정적인 소규모 기업을 이루는 것 역시 성공적인 사업을 성취했다고 보아야 하겠다. 이 책은 사업 선배들이 창업과 실패의 반복에도 불구하고 재기하면서 사업을 이어가고 있는 과정에서 겪는 다양한 현실적 문제들과 감정적 갈등, 변화를 진솔하게 서술하고 있고, 어떻게 대처하는지 알려주므로 창업의 꿈을 가진 젊은 세대에 귀감이 될 책으로 적극 추천한다.

– ㈜싸이택 대표이사 강성진

공무원이나 회사는 입사만 하면 조직체에서 지시하는 규정에 따라 진행하면 되지만, 창업이나 자영업은 누가 가르쳐 주는 사람도 없고, 규정도 없기에 혼자만의 생각과 도전정신으로 미래를 준비할 수밖에 없다. 그렇게 강한 의지와 나름의 준비로 창업을 했는데, 예상하지 못한 상황과 결과에 실패를 맛보는 많은 사업자 초보들을 주변에서 쉽게 볼 수 있다. 실패도 약이 될 수는 있지만, 피할 수 있다면 피하는 것이 현명한 처사이다. 이 책은 초보 사업자가 사업 준비나 진행 중에 꼭 한번 읽어야 하는 도서라고 생각하고 과감히 추천한다. 독자들이 이 책을 읽고 실패를 몸소 경험하기보다는 준비를 통해 환경을 이겨나가는 사장이 되어 꼭 성공하길 기원한다.

– 성도기획 대표 김종욱

창업 후 누구나 겪는 어려운 일들이 있다. 그것들을 해결해야 하는 기로에 섰을 때, 경험부족으로, 아니면 이기적인 선택으로 일을 그르친 적이 있을 것이다. 반복되는 실수도 잦다. 그러나 실패를 반성하고 각성하여 재도약의 기회로 삼는 사장들은 많지 않은 것 같다. 이 책을 통해서 미래의 실패를 미리 경험하고 기회로 만들면, 사업을 준비하거나 사업을 하고 있는 사람들이 자신들의 역량을 높여 더 나은 사업을 펼칠 수 있을 것을 확신한다. 또한 일과 인생을 균형 있게 살수 있는 많은 방법을 담고 있어서 지혜로운 사업가가 되기를 원하는 사람들이 꼭 읽었으면 한다.

- 에이치아이티㈜ 대표이사 윤기웅

하루살이처럼 살아도 열정적으로 살아야 한다는 이야기부터 이 시대의 우리에게 가장 중요한 사명 중 하나인 한반도 통일 이야기까지 화두 하나하나가 뼈에 사무치는 깨우침으로 처음부터 끝까지 관통한다. 회사에 다니면서 한 번쯤 고민해 보았을 퇴직과 창업에 대한 쉬운 지름길이 아닌 시행착오를 조금이나마 줄여주는 나침반이 되는 소중한 지혜를 느낄 수 있었다. 사회생활의 현장에서 느꼈던 소중한 경험과 여러 가지 상황에 맞추어서 직면해야 하는 문제들에 대해 해결책을 제시하는 탈무드 같은 역할을 하지 않을까 기대되게 한다. 특히 각 이야기 단원의 끝에 '생각해 보기'는 읽어 나갔던 이야기를 한번 되짚어 보는 묘미를 느끼게 한다.

- 현대기아차자동차그룹 책임매니저 홍기철

세 번의 창업과 실패 그리고
네 번째 사업 10년째

사업을 하면서 가끔 그냥 한 번 감정을 울리고 말기에는 아쉽고 곧 잊어버릴 것 같아 글로 남기곤 했다. 어떤 기록을 남기겠다는 생각보다는 그때그때 경험한 내용과 느낌, 반성 등을 글로 표현하면 좀 후련한 느낌이 들었다. 사람들과 대화로 스트레스를 풀기도 하지만 글로도 마음을 다스린 내향적 성향도 한몫하였다. 그러다가 메모나 반성문 수준에서 벗어나 구체적으로 이러이러한 책을 펴내야겠다고 결심했다.

창업자나 예비창업자들에게 조금이나마 내가 갔던 길을 비추어 준다면 시행착오를 줄일 수 있고, 사업인생 선배의 마음이 이렇다는 것을 알려주는 것도 좋겠다는 생각이 들었다. 그러나 막상 책을 쓴다고 하니, 부담감이 들었고 이렇게 긴 시간이 걸릴 줄 몰랐다.

그동안 여러 사업들을 창업하고 접으면서, 나 자신이, 혹은 사람들과 만나면서 겪었던 경험들을 그전에 썼던 내용들 뒤에 하나하나 내용을 채워 넣었다.

　IMF 금융위기와 함께 소위 닷컴 버블이 터지면서 창업에 대한 의욕이 곤두박질쳤었던 때와 같이, 요즘 창업보다는 공무원 준비를 하고 대기업에 들어가기 위해 수년을 기다리는 상황에 무언가 메시지를 던질 충동이 일었다. 여기에 적은 내용들은 내가 지금 그렇게 하고 있거나 전에 그렇게 해 왔기에 쓴 것이 아니라, 과거에 대한 나의 반성이고 현재 그렇게 하지 못하는 것에 대한 채찍질이다. 그렇지 않았다면 낯부끄러워서 진작에 더 이상 글을 쓰지 못했을 것이다.

　현재 50대 중반을 달리면서, 그동안 대기업, 중견기업, 중소기업에서의 다양한 직장생활과 사업으로 27년간 쉬지 않고 달려온 세월을 보내면서 느끼고, 생각한 것을 다른 사람들에게 전해서 그들도 한번 느끼고 생각해봤으면 하는 바람이 있다. 특히, 직장생활의 2/3는 여러 중소기업에서 고유 업무 이외에 다양한 경험을 했기에 중소기업을 운영하거나 창업에 관심이 있는 독자들에게 어느 한쪽에 치우치지 않고 나름대로 객관적으로 다가가려고 노력했다. 또한, 모임과 포럼, 교육에 참여하여 나름 적지 않은 사장들을 만나고, 또 일부는 정기적으로 만나면서 서로 사업에 대한 경험을 나누고 토론을 했던 것을 반영하고자 했다.

　가난한 집안에서 태어나 흙수저로 시작을 했지만 나름 쉬지 않고 열심히 살아왔다는 것 자체로 스스로 위안을 삼고 있으며, 이제는 그 시행착오들의 경험이 모여서 어떤 상황에도 크게 움츠러들지 않고 또한 크게 무리하지 않는 중용(中庸)의 미덕을 조금이나마 터득했다고 할까? 하지만 아직도 사업가로서, 한 가정의 가장으로서, 그리고 사회의 일원으로서 많이 부족하며 배워야 할 것이 많기에 나이를 떠나서 같은 인생 학교의 학생으로서 읽어봐 주었으면 한다.

세 개의 사업을 실패하면서, 어떤 때는 신용카드 돌려막기를 하고, 어떤 때는 월급 타서 몇십만 원을 아내에게 생활비로 주고 나머지 전부를 부채 원금과 이자를 내기도 하면서 현장 수업료를 지불했다. 그 과정에서 때로는 불현듯 생의 마지막으로 치달으려는 좌절도 있었지만, 그러면서도 웃음을 잃지 않았던 것은 젊은 시절에 박힌 고생의 굳은살 때문이리라.

사업을 하는 데에 많은 어려움을 겪고 있는 사장들. 아직도 진로를 정하지 못하고 갈팡질팡하고 있는 젊은이들. 사람들에 치이고 상처받아 미움이 생긴 사람들. 여러 번의 실패 끝에 재도전하려는 희망보다 회한에 젖어있는 사람들. 미래의 사장들.

여기에 있는 메시지가 그들에게 가야 할 길을 알려주는 지도는 아니지만, 위안을 얻고 다시 일어나며 무엇이 중요한지를 인식하여 마음을 고쳐잡는다면 더이상 바랄 것이 없겠다. 나도 상처받기 쉽고 여린, 보통사람으로서 먼저 걸어간 길을 손 잡고 안내해주면서 함께 울고 함께 기뻐하고 싶다. 지금 크게 성공한 사장으로서가 아니라, 실수투성이, 넘어지고 깨어져 온, 그러나 다시 일어나는 '곤조'있는 사업가로서, 그리고 작지만 여러 국가에 바이어를 가지고 나름 글로벌 회사를 꿋꿋이 이어나가고 있는 보통의 사업가로서 서로 같은 아픔과 어려움을 공감할 수 있으면 좋겠다.

인천공항에서 누군가 "사장님"이라고 부르면 열 명 중에 세 명이 뒤를 돌아본다고 한다. 자영업자의 비율이 OECD 국가 평균의 두 배에 달할 정도로 사장님이 많다. 창업 후 생존율도 다른 나라에 비해 낮다. 경쟁이 치열하고 생계형 창업이 많은 것이다. 이러한 현실에서 사업의 길을 택하기보다 공무원 시험을 보는 것이 어쩌면 현명하다는 생각이 드는 것도 무리는 아니다. 하지만 정말 제대로 사업을 시작하고 제대로 운영했는데도 실패했는지 묻고 싶다. 왜 똑같은 업종, 같은 지역, 유사한 자본, 유사한 제품을 취급하는데, 누구는 성공하고 누구는 실패하는가?

감히 주장하는데, 정말 제대로 사업을 한다면 실패하기가 더 어렵다고 본다. 몇 번의 실패 경험과 주위 사장들을 보면서 깨달은 사실이다. 그러나 정말 예기치 못한 사업환경 때문에 회사를 접을 수 있다. 회사를 접더라도 적절한 판단하에 취해진 조치라면 재기할 금전적, 정신적 여력이 있다. 그래서 길게 봐서는 실패가 아니라 좀 유식한 단어를 쓴다면 '전략적 후퇴'이다.

나의 실패들을 한마디로 말한다면 제대로 안 했기 때문이다. 제대로 계획도 안 세우고 덤볐다. 나태했다. 조금 잘되니까 초심을 잃어버렸다. 직원들을 진심으로 사랑하지 않고 그들의 미래를 책임지지 않았다. 사업보다는 개인 투자에 정신이 팔렸었다. 디테일하게 점검해야 할 것들을 경시했다. 나의 잘못을 쓰자면 한이 없다. 지금 네 번째 사업을 10년 이상 계속 영위하고 있는 것은 그래도 아직은 과거의 잘못을 다시 범하지 않고 정신을 차리고 있기 때문이다.

아무쪼록 이 글이 독자들의 삶에 희망의 메시지였으면 한다. 산책하듯이 쓴 본문들이 다소 투박한 부분도 있을 것이다. 그럼에도 불구하고 동일한 시대를 살아가면서 함께 아파하고 기쁨을 나누며 경험을 공유하고자 하는 작가의 진심에 무게를 두었으면 한다.

이 책은 무슨 대단한 사업비결을 담고 있지 않지만, 사업에 대한 마인드를 다시 한번 생각해보는 계기가 될 것이며, 적지 않은 지혜와 경영의 핵심이 담겨있다. 특히 초기 기업을 운영하는 데 여러 가지 고려할 것들에 대해 먼저 경험한 선배로서의 조언을 담았다. 미래의 사장이나 직장생활을 하는 사람들에게도 적잖은 도움이 될 것이다.

좋은 자기계발서는 독자가 정독을 하면 비록 간접적이기는 하지만 저자의 경험을 오롯이 체험하게 되어 마치 직접 체험한 듯한 느낌이 드는 책이라는 생각에서 출발하였다. 내용이 짧은 주제도 있을 것이고 가볍게 읽고 지나갈 수 있는 내용도 있지만, 책을 덮고 자신을 돌아보며 사업뿐만 아니라 삶에 대해서 진지하게 묵상해야 할 내용도 꽤 있다고 생각한다. 그런 부분들에서 너무 간단하게 지나치지 말고 고민의 시간을 갖기를 희망한다.

묵상에 도움이 되기 위해서 각 주제의 끝에 '생각해보기'를 만들었다. 그래서 다 읽고 나서 좋은 사람과 산책 후에 정신이 한결 맑아지고 긍정적인 에너지가 샘솟으며 두 주먹이 불끈 쥐어진다면 나는 이 책을 쓴 목적을 달성한 것이다.

이 책을 쓰는 동안 가까이서 응원해 준 아내와 정기적인 교류, 혹은 몇 번의 만남을 통해서 경험을 공유하여 이 책을 풍성하게 해준 모든 사장들와 지인들에게 감사를 드린다. 그리고 출판을 허락해 주신 지식공감 출판사의 김재홍 사장님에게 감사드린다.

Chapter 1.
지혜로운
사장

사람은 장사로 얻을 수 있는 최고의 이윤이다."

– 임상옥
(조선 중기 무역 상인, 조선 최고의 거부이자 빈민과
수재민 구제로 벼슬까지 얻은 오른 입지전적 인물)

"뜨거운 열정보다 중요한 것은 지속적인 열정이다."

– 마크 저커버그
(Facebook 회장, 인터넷 관계망 패러다임을 선도하는 기업인)

"회사는 인생의 학교이다."

– 박성수
(이랜드그룹 회장, 근육무력증이라는 희귀병을 앓는 동안 수많은 독서를 통해
작은 보세의류 가게에서 한국의 대표적인 패션, 유통업체를 일군 기업인)

"인간의 행복의 원리는 간단하다. 불만에 자기가 속지 않으면 된다. 어떤 불만으로 자신을 학대하지 않으면 인생은 즐거운 것이다."

— 버트렌드 러셀
(영국의 철학자, 사회개혁운동가,1950년 노벨 문학상 수상)

"행복한 결혼에는 애정 위에 아름다운 우정이 융합되도록 되어있다. 이 우정은 마음과 육체가 서로 결부되어 있기 때문에 한층 견고한 것이다."

— 앙드레 모루아
(프랑스를 대표하는 작가이자 역사가)

하루살이가 되기

하루살이는 그 종류에 따라 수명이 짧게는 몇 시간에서 길어야 일주일 정도 산다. 그래서 그 곤충의 이름이 하루살이다. 우리는 하루살이같이 살아야 한다. 하루살이 인생이어야 한다. 미래에 대한 비전이 없이 하루하루 정신없이 살아가는 사람들을 일컫는 것이 아니다.

우리 모두는 어제를 살았고 오늘을 살고 있고 내일을 살 것이다. 여기서 중요한 것은 현재 오늘을 살고 있다는 것이다. 어제는 과거로 이미 지나갔고, 내일은 미래로서 아직 오지 않았다. 그런데 사람들은 현재를 살아가면서 과거와 미래를 동시에 살려고 한다. 이미 지나간 어제 일들을 계속 생각하면서 하루를 보낸다. 어제의 일들이 오늘 하루를 지배한다. 그래서 충실하지 못한 하루를 보낸다. 어제의 생각들은 생각하면 할수록 더 커지고 우리를 괴롭힌다. 또한, 내일 일어날 일들을 걱정하면서 오늘 하루를 보낸다.

하지만 어제는 이미 지나갔고 미래는 아직 오지 않았다. 어제 일어난 일들은 경험이라는 선물을 우리에게 남겨준 채 자취를 감추었다. 우리는 그 일들을 되돌이킬 수 없다. 그러니 후회보다는 깨달음을 얻도록 하자. 그리고 만족하자. 어제는 그렇게 지나갔다.

사자는 어제 사냥에 실패한 일 때문에 오늘 괴로워하면서 보내지 않으며 다만 좀 더 능숙한 방법으로 사냥기술을 보완한다. 우리 역시 어제의 실패에 사로잡혀 있으면 오늘의 진보를 꿈꾸기 어렵다. 어제 내 몸의 세포 수, 혈액의 농도, 피부, 두뇌의 양은 오늘의 나와 다르다. 새로운 하루를 맞이해야 한다. 어제와 같은 오늘이 되어서는 안 된다. 어제 우리가 화를 잘 내고, 친절하지 않으며 게으르고 방탕했다면 오늘은 달라져야 한다.

'걱정'이 아닌 '계획'을 해야 한다. 걱정되는 것이 있다면 빨리 일어날 시나리오를 떠올리고 그에 맞는 계획을 세우자. 그리고 오늘은 더 이상 그 생각은 하지 않고 오늘 일어나는 일들에 집중하자. 오늘 만나는 사람들, 집안의 화단, 거리의 네온사인, 눈을 마주치는 처음 보는 사람들. 우리에게는 오늘 하루만이 주어졌다. 우리가 느낄 수 있고 볼 수 있고 바꿀 수 있는 것은 지금, 이 순간뿐이다.

그러니 하루살이 인생이 되자. 누군가를 사랑한다면 오늘 말하라. 지나가는 사람들에게 따뜻한 눈길을 보내라. 서 계신 노인에게 지금 자리를 양보하라. 최선을 다해서 오늘 주어진 일을 하라. 오늘이 나의 인생의 마지막인 것처럼. 행복한 인생을 사는 비결은 바로 오늘 행복하기를 결심하는 것이다. 오늘의 행복이 쌓여 행복한 인생이 되는 것이다.

하루살이 인생을 살자.

 생각해보기

- 나는 오늘 하루 최선을 다하고 있는가?
- 그렇지 않다면 무엇이 그렇게 만드는가?
- 오늘이 내 생의 마지막 날이라면 해야 할 일, 누군가에게 할 말은 무엇인가?

일에도 철학이 있다

노벨문학상 수상자인 세계적인 작가 펄벅(Pearl S. Buck)은 "일을 즐길 수 있는 비결은 잘하는 것이다. 또한 일을 잘하려면 즐겨라"라고 했다.

필자가 만나본 성공적인 사장들은 모두 일을 잘하는 사람들인데, 가만히 살펴보면 보면 일을 즐기고 있는 것을 공통적으로 볼 수 있다. 어려운 일이 닥쳐서 고민은 하지만 결국 웃음으로 결의를 보여준다. 하지만 매번 만날 때마다 괴로워하며 사업하기 힘들다고, 이것저것 문제를 늘어놓으며 푸념만 하는 사장을 볼 때가 있다. 옆에서 보면 그렇게까지 어려운 것 같지 않을 때에도 그러는 것은 그런 행동이 습관이 된 것이다.

나도 회사가 한창 성장기 때 해외의 OEM(주문자 상표 부착방식) 주문건을 중국 외주 공장에서 했는데, 심각한 불량이 발생하여 비즈니스 단절의 위기를 맞은 적이 있었다. 곧바로 중국 공장에 출장 가서 원인을 분석하고 대체품을 신속히 보내준 후 공장 관리자들을 불러 모아 단단히 교육했다. 그리고 바이어에게 그런 일이 다시 발생하지 않도록 이러이러한 대책을 상세히 설명한 후에도 여전히 마음은 불안했다. 하지만 업무가 힘들 때는 마음마저 힘들지 않도록 나 자신을 지속적으로 마인드컨트롤(Mind Control) 하려고 했다. 그러나 아주 심각한 문제는 아니더라도 가끔 터지는 생산과 물류에서의 문제점들은 계속해서 신경을 자극했다.

그렇지만 언제부터인가 일을 즐기기로 작정을 했다. 일로부터의 자극에 대해서 독일 병정과 같이 굳건히 버텨나가기보다 재미있게 해나가기로 한 것이다. 해외에서 처리하기 어려운 이메일이 오면 "야, 이거 또 재미있는 이메일이 왔는걸. 오늘도 이 업무 때문에 재미있겠어. 나는 좀 까다로운 일이 더 재밌어"라고 되뇌면 어려운 일이 재밌어지고, 생각보다 해결하기 쉽다는 것을 알게 되었다. 반면 "이거 또 골치 아픈 처리 건이구만, 어휴, 오늘도 편히 넘어가긴 글렀구만"이라고 하면 하루가 정말 힘들어지고, 더군다나 생각만큼 일이 잘 해결되지 않았다.

성공하는 사장이든 실패하는 사장이든, 만나는 문제들은 크게 다르지 않다고 본다. 하지만 그 일에 대한 '마음먹기' 하나가 일의 성패를 가른다. 미국의 세계적인 발전 회사인 AES의 공동 창업자인 데니스 바케와 로저 샌트는 "한번 즐겁게 일해보자"라는 슬로건을 세우고 회사를 창업하여 20년 만에 전 세계 31개국에서 80억

불의 매출을 올리는 기업으로 성장시켰다. 그들은 "일을 짜릿하고, 보람 있고, 격려가 되고, 즐길만한, 그러면서 충분한 보상이 있는 것으로 만들고 싶다"라고 말한다. 일터를 즐거움이 넘치는 공간으로 만드는 데에 공을 들였다. 그래서 모든 직원들이 중요한 일을 하고 있다는 자부심을 갖도록 교육하고, 감독보다는 신뢰를 주며, 경영층을 비롯한 직원들이 모든 정보를 공유하여 의사결정을 스스로 하고 그 위험도 스스로 지도록 하고 있다. 그들은 "사람은 극도의 스트레스 가운데서도 자신이 그 일을 완전히 통제할 수 있을 때 짜릿함과 즐거움을 느낀다"라고 말하기도 한다. 또한, 즐거운 일터를 만드는 리더의 성품 중 자신의 '권력 포기'가 즐거운 일터를 만드는 핵심이라 말한다.

나는 그들이 31개국에 수많은 사람들과 문제를 다루면서 기존의 경영관리체계를 혁신하여 엄격보다는 자율을, 상명하복보다는 수평적인 조직을 가지고 익스트림스포츠 경기를 즐기듯이 경영을 하는 것이 위태하다고 느껴지지 않고 오히려 안정적으로 보인다. 그들이 만든 즐거운 일터는 자유로운 창의성을 극대화하고, 기쁘게 일하면서 스스로 맡은 일에 책임을 지는 균형을 유지하고 있기 때문이다. 이왕에 같은 일을 하고 같은 문제를 해결하고 같은 사람들과 부딪히는데, 좀 더 웃으면서, 좀 더 재미있게, 좀 더 격려하면서 하는 것은 개인적인 건강에도 이롭고 결과도 좋으니 마다할 이유가 없다.

어느 중견기업 회장이 자신이 사는 아파트의 청소부를 자신 회사의 관리 중역으로 세운 스토리가 있다. 그 회장은 청소부가 즐거운 얼굴로 성실하게 아파트 구석구석을 청소하고 주민들에게 먼저 인사하며 아이들의 이름을 외워서 불러주는 것을 눈여겨봤다. 청소 이외에도 주부 혼자서 무거운 짐을 들고 가면 도와주는 등 아파트를 자신의 집과 같이 대하고 주민들을 가족과 같이 대하는 것에 감동받아 파격적인 인사를 한 것이다. 아마도 회사의 관리 중역으로서도 회사를 자신과 같이 아끼고 직원들을 가족과 같이 대하면서 일에 대한 즐거움을 회사에 전파하여 큰 기여를 했으리라고 어렵지 않게 짐작할 수 있다.

같은 일을 하면서 어떤 사람은 마지못해 자신의 책임 범위 안에서 문제가 생기지 않게 하는 데에만 관심이 있거나 회사를 단순히 월급을 주는 경제단위로만 인식하는 사람이 있다. 반면에 어떤 사람은 회사의 발전을 자신의 발전과 동일시하고 직원들을 동료 이상으로 가족과 같이 대하며 주어진 책임을 뛰어넘어 전체적인 회사 차원에서 판단하고 회사와 동반 성장하는 사람이 있다. 전자는 회사에 출근하는 것이 괴로울 것이며, 동료들과도 진정한 관계를 맺지 못하고 도움을 주는 데에도 인색하여 정작 자신이 필요할 때에는 도움을 받기가 힘들어 어려운 회사생활을 할 것이다. 또 퇴근해서는 업무 및 동료들과의 인간관계에서 오는 스트레스로 괴로워하기 쉽다. 물론 회사에서도 그것을 잘 알고 있으며 인사고과에서 좋은 점수를 받기가 어려울 것이다.

반면 후자의 사람은 회사에 출근하는 것이 즐겁고 동료들과도 친하게 지내며 동료들의 도움으로 승진도 잘 될 것이다. 이런 사람은 회사에 끌려가는 것이 아니고 자신의 영역 범위에서 회사를 이끌어 간다. 회사의 발전을 위해서라면 어려움을 동료들과 같이 해결해 나가려고 하고, 회사의 분위기를 이끄는 분위기 메이커가 되며, 밝고 자신감이 있게 일을 할 것이다. 또한 스트레스를 훨씬 덜 받으며 적극적으로 일을 수행하면서 더 많은 학습을 하고 더 많은 기회들을 발견할 수 있을 것이다. 이런 사람 주위에는 많은 유능한 사람들이 모이고 자신의 커리어에 도움이 되는 사람들이 차곡차곡 채워질 것이다.

우리는 일을 통해서 경제적 삶을 유지하고 가족을 부양하지만, 그 외에도 인격수양, 사회화, 건강, 자아실현, 자존감의 증대 등 중요한 삶의 요소들을 덤이 아닌 덤으로 갖게 된다. 은퇴 후에도 무언가 의미 있는 일을 하는 사람들은 노화 진행이 그렇지 않은 사람들보다 훨씬 더디다. 일은 육체적, 정신적 건강에 큰 영향을 끼치는 것이다. 필자는 30대 초반에 실업자가 되어서 1개월 정도 본의 아니게 일을 하지 못한 적이 있었는데, 처음엔 늦게 일어나고 밥도 대충 챙겨 먹으며 집에서 빈둥거리는 게으른 생활의 맛에 빠졌다. 하지만 3주가 지나자 몸이 피폐해지는 느낌을 받았고, 가족들 눈치를 슬슬 보기 시작하면서 약간의 우울증세도 생기게 되었다. 그때, 일의 중요성을 느꼈다. 일을 하지 않으면 점점 사회의 변화를 따라가지 못하고, 일 자체와 사람들과의 관계에서 다져지는 인격의 수양과 일을 통해 느끼는 보람과 자존감의 증대와 같은 요소들은 얻지 못할 것이다.

최근에는 많이 달라졌지만, 예전의 동남아 국가들이 오랫동안 가난에서 벗어나지 못한 이유가 비옥한 땅과 따뜻한 날씨 탓이었다. 사람들이 일을 열심히 하지 않아도 추위 걱정을 않고, 배고프면 나무에 올라가 열대과일을 따먹을 수 있으며, 노력에 비해서 풍부한 곡식을 얻을 수 있으니 죽어라 공부하거나 일하지 않아서 유능한 인재를 배출하지 못한 것이다. 국민들이 전체적으로 무기력한 모습을 보였으며 눈에 총기들이 없어 보였었다.

현재에도 산유국가들을 보면 전체적으로 무기력함이 느껴진다. 도로나, 빌딩이 현대식으로 되어있으나 주로 외국 회사들이 지었으며, 오일머니(Oli Money)로 기술개발과 공부를 하지 않아도 먹고 사는 데에 큰 어려움이 없으니 사람들이 일을 안 해서 무기력한 것이다. 최근에는 미국에서 셰일가스가 개발되어 석유와 경쟁하고 있으며, 대체에너지의 발전으로 산유국의 파워가 더욱 약해지면 숙련된 인재와 기술이 없는 산유국의 경우 후진국이 되는 것은 시간문제다.

회사의 경우도 이와 마찬가지다. 사장으로서 조직에 일에 대한 가치관을 올바로 주입하고 회사의 발전이 곧 개인의 발전으로 이어지도록 인사고과를 정착시키는 것이 필요하다. 우리사주 제도(회사 주식을 직원들에게 분배하는 제도)와 같이 직원들이 자발적으로 창의력을 발휘하게 하는 환경을 조성하거나, 관료적인 조직이 아니라 수평적인 조직을 통해서 자유를 부여하고 자발적인 동기부여를 하는 것도 좋은 방법이다. 나도 직급에 대한 호칭을 수평적으로 하기 위해 전부 '매니저'로 통일을 시켰더니 내가 예전에 다녔던 대부분 회사의 관료적이고 수직적인 위계질서에서 많이 해방되는 것을 체험했다. 호칭만 바꾸어도 이렇게 조직에 활력을 줄 수 있다.

경영은 일종의 고난도 전략 롤플레잉 게임이다. 요즘 인터넷 게임을 즐기는 사람들이 많다. 게임의 형태가 점점 복잡해지고 전략적인 사고력이 필요한 게임도 종종 볼 수 있다. 하지만 사업은 인터넷 게임에 비할 바가 아니다. 게임은 일정한 규칙 안에서 능력을 최대한 발휘하는 것이지만 사업은 규칙 자체가 상황에 따라서 실시간으로 변한다. 그래서 사업에 제대로 맛을 들이면 게임은 시시해질 수밖에 없다. 사장은 자신이 회사의 대부분을 통제한다. 타의가 아닌 자의적으로 일을 한다. 그러니 사업은 게임보다 재미있을 수밖에 없다.

요컨대, 일은 힘들고 어렵고 짜증스러운 것이 아니라 그 와중에서도 재미있고, 의미 있으며, 나의 인격이 닦여지고 사회의 일원으로서 보람을 느끼며 건전한 사회인으로 살아나가는 요체다.

 생각해보기

- 일에 대한 나의 가치관은 무엇인가? 즐거운 일터가 되려면 나의 가치관을 어떻게 바꾸어야 하는가?
- 청소 등 사소한 일도 어떤 마음가짐으로 시작하는가? 마지못해, 짜증 나서? 아니면 그곳을 사용할 사람들을 사랑하는 마음으로?

가난한 마음과 자유

경제적 가난은 자유를 제한할 수 있다. 그러나 마음의 가난은 무한한 자유를 누리게 한다. 나를 드러내고 자랑하면 사람들이 나를 낮게 본다. 하지만 나를 낮추고 겸손하면 사람들이 알아서 나를 높여준다.

기업을 운영하면서는 항상 초심을 잃지 않는 것이 필요하다. 특히 잃지 말아야 할 초심이 '가난한 마음'이다. 기업인이 처음 사업자 등록을 하고 사업을 시작할 때 가졌던 마음이 바로 '가난한 마음'이다. 자금이 넉넉지 않아서 최대한 경비를 줄이면서 고군분투했던 마음이 차차 사업이 안정되고 여유가 생기면 과도하게 친목 단체 등을 다니면서 초심을 잃게 되어 회사가 어려워지는 경우를 본다. 적당히 비즈니스에 도움도 얻으면서 취미나 외부활동을 하는 것은 스트레스를 해소하고 사업 운영에 더 활력을 줄 수 있지만, 주객(主客)이 전도되어서는 안 된다. 가족과 직원들을 책임지는 자리에 있다는 것을 항상 명심해야 한다.

가난한 마음을 유지하려면 생활을 절제할 필요가 있다. 취침 시간과 기상 시간을 일정하게 하는 것이 좋다. 건강하고 사회적으로 성공을 오랫동안 유지하는 분들은 특별한 일이 없는 한 규칙적인 시간에 취침과 기상을 하는 것을 유지하는 경우가 많다. 이것을 일정하게 유지한다는 것은 그만큼 생활에 절제가 요구된다. 심하게 과로하지 않고 사소한 외부활동에 너무 이끌려 다니지 않아야 한다.

어느 사장은 매일 새벽 4시에 기상하는 것을 사회생활 이후로 거의 하루도 빠뜨리지 않고 실천하고 있다. 취침은 밤 10시가 조금 넘은 시간에 한다. 가끔 모임에 참석하고 늦게 귀가하는 날에도 기상은 어김없이 4시에 한다. 그리고 부족한 잠은 쪽잠으로 해결한다. 낮에 반드시 10분에서 15분 정도 낮잠을 잔다. 그러면 몸이 다시 일을 시작하기 전인 아침으로 돌아간 듯이 개운해진단다. 새벽 4시부터 출근할 때까지가 이분의 황금시간으로 책을 읽기도 하고 중요한 결정을 하거나 아이디어를 얻는다.

마음이 가난하다고 하는 것은 겸손하다는 것이요, 남을 높이고 자신은 낮춘다는 것이다. 가난한 마음을 가진 사람은 자신은 물론 상대를 평가하는 데 있어 그 재산 정도나 지위 고하에 구애받지 않는다. 사람의 외적인 면을 가지고 판단하며 좁은 범위에서 활동하지 않기에 건물 청소부 아줌마들하고도 스스럼없이 앉아서 대화하고, 재래시장에 가면 격의 없이 상인들과 어울린다.

사업가의 마음이 부유해서는 안 된다. 내가 이룬 것에 대한 자부심은 좋지만, 그것에 안주하고 자랑하려고만 해서는 더 이상 발전이 없다. 스티브 잡스는 2005년 스탠퍼드대 졸업식 축사에서 "Stay

Hungry!"라며 헝그리 정신을 강조했고, 애플에 다시 복귀해서는 "I'm still hungry"라며 자신은 아직 배고프다고 했다. 이것이 사업가의 가난한 마음이다.

가난한 마음은 사장을 현재에 안위(安慰)하지 않고 계속해서 도전하도록 만든다. 계속된 도전이 없이는 사업의 세계에서 살아남기 힘들다. 우리나라의 최우량기업 삼성전자는 해마다 위기라고 스스로 진단하며 가난한 마음을 잃어버리지 않으려고 안간힘을 쓴다. 위대한 발명과 발견은 끊임없는 도전의 산물이다. 인류의 도전 역시 가난한 마음과 관계가 깊다. 현재에 만족하고 미지의 세계를 두려워하기만 했다면 우리는 아직도 원시시대를 살아가고 있을 것이다.

주위의 사업가들 중에 가난한 마음을 가진 사람들은 항상 기쁘게 생활하는 것을 본다. 모든 것을 다 잃어도 다시 시작할 수 있다는 마음이 있기에 사업 환경과 상황에 상관없이 즐겁게 일할 수 있다. 내가 어떤 사업을 철저히 준비하고 잘 전개해도 예상치 않은 변수에 실패할 수 있다. 그럴 때, 가난한 마음이 있는 사람은 웃으며 다시 시작할 수 있다. 그리고 언젠가는 성공한다. 그러나 그렇지 못한 사람은 자존심에 상처를 입고 사업의 세계를 떠난다.

가난한 마음은 정신건강에도 좋다. 마음이 바닥에 있기에 잠잘 때도 걱정으로 밤을 지새우지 않고 사람을 만나도 지나친 긴장을 하지 않는다. 어제 꽤 불편한 경험을 했더라도 오늘은 훌훌 털고 새로운 마음으로 다시 하루를 힘차게 시작한다. 어제 나를 괴롭힌 사람을 비난했지만, 곧 용서하고 오늘은 아무 일도 없었다는 듯이 새로운 마음으로 일한다. 그래서 적당한 스트레스를 유지한 채 건강하게 사업 활동을 한다. 에너지가 많이 소모되는 사업 세계에서 건강은 필수다. 사람을 많이 만나는 사업가는 건강하고 활기차야 한다.

한편 가난한 마음을 가진 사람은 자존감이 높다. 다른 사람을 존중하고 사랑하는 사람은 자신을 사랑하고 자신감이 있다. 자신의 모든 것을 이해하고 인정하며 사랑하기에 낮아질 수 있고 다른 사람을 높일 수 있다. 자존심만 센 사람은 가난한 사람이 아니다. 자기만 생각하고 자기주장을 고집하기에 진정으로 다른 사람을 존중하고 배려하는 마음을 갖기 어렵다. 내 위치가 어디쯤인지, 내 마음이 어느 높이에 있는지 점검해보는 시간을 갖자. 하늘 높은 줄 모르고 위에 있는지. 바닥에 납작 엎드려 있는지….

 생각해보기

- 나는 자존감이 높은가, 자존심이 높은가?
- 마음이 너무 부유해지면 회사의 성장이 멈추는 이유는 무엇인가?
- 나는 지위, 가진 것 등의 영향을 받지 않고 아무하고도 스스럼없이 어울리는 편인가?

사람의 신뢰수준은?

  우리가 살아가는 사회는 신뢰 사회다.

  택시를 타는데 택시기사가 목적지까지 빠른 길을 선택해서 가고 있고 나를 안전하게 데려다줄 것을 믿으니 택시를 이용한다. 비행기에는 자동항법 장치가 있지만, 승객은 악천후 등 미처 예기치 못한 상황에서 조종사가 당황하지 않고 안전하게 운항할 것을 믿고 비행기를 탄다. 펀드매니저가 내가 맡긴 돈을 잘 운용해서 기대수익을 올릴 것을 믿고 상품에 가입한다. 성실히 회사를 위해서 최선을 다할 사람이라고 판단되어 신규 사원을 채용한다. 심지어 돈을 꾸어줄 때, 길을 가르쳐 주는 사람, 살고 있는 높은 건물, 거래처, 먹거리 등 믿음이 있기에 주고, 살고, 먹고, 거래한다. 타인에 대한 믿음이 없다면 사람은 아무도 없는 무인도에서 혼자 살아가야 할 것이다.

  하지만 누군가를 완전히 신뢰할 수 있는가? 부모, 배우자, 형제가 그렇다는 사람들도 있겠고, 아주 친한 친구를 얘기할 수도 있겠다. 그러나, 한 가지 알아야 할 것은 인간의 불완전성이다. 숭고하고 희생적인 부모님의 사랑도 때로는 예상치 못한 결과가 나타날 수가 있다. 자식을 위한다고 하지만 자신의 감정을 제어하지 못해 과도한 체벌을 해서 자식에게 트라우마를 안겨줄 수가 있다. 정말 내 장기라도 빼어 줄 수 있을 만큼 친한 죽마고우가 나를 배신하고 도망간 이야기를 듣기도 한다. 그렇게 우애로운 형제, 자매들이 부모의 유산 앞에서 원수같이 싸우고 평생 다시 만나지도 않는다. 이런 불완전성을 이해해야 사람들로부터 받는 처절한 배신의 고통에 몸부림치며 괴로워하지 않는다.

불완전한 존재인 인간을 완전하게 믿는 것은 실패할 수밖에 없다. 심지어 신(神)조차 인간에게 배신당하지 않았던가. 설사 그 사람이 의도하지 않았더라도 어떤 환경에 의해 결과적으로 나의 믿음을 져버릴 수 있다. 그래서, 사람을 신뢰하기보다는 사랑하라고 한다. 내 믿음을 져버릴 수 있다는 것을 염두에 두어야 한다. 그래야 그럴 때, 미워하기보다 측은한 마음이 들 수 있다. "그도 인간이야"하면서 한계를 인정한다.

동업 관계는 될 수 있는 한 피하라고 말하고 싶지만, 관계가 잘만 진행되면 좋은 파트너로서 서로의 단점을 보완하고 어려울 때 힘이 되어 성공확률을 높여준다. 내가 아는 사람 중에 전 직장에서 서로 의기투합하여 사업을 시작했는데, 한 사람은 기술 분야를 맡고 한 사람은 영업과 관리를 맡아서 잘 운영하는 사장이 있다. 나도 기술

전문가와 동업을 하려고 했었던 적이 있었는데, 의견 충돌이 있고 서로 이견을 좁히지 못해서 갈라선 경험이 있다. 나는 기술에 대한 지식이 부족하여 맡기었지만, 자신의 능력을 과신한 그 파트너로 인하여 신규제품 개발에 많은 시간을 소요하였다. 결국 제품이 상품성을 나타내는 데에도 성공하지 못하여 돈과 적잖은 시간을 낭비했었다.

직원을 관리할 때에도 신뢰수준에 따라 방법이 다르다. 어떤 사장은 직원을 믿고 맡기며 그 책임도 지게 하지만, 어떤 사장은 사소한 결정에도 승인을 받게 하는 경우가 있다. 내 생각에는 자율에 의해 생산성이 더 높아진다고 생각을 하지만, 그 경우에도 모니터링이 필요하고 책임을 분명히 지어주는 것이 필요하다. 실수하고 실패할 수 있다는 것을 항상 염두에 두어 대비해야 하며, 실패했을 경우 질책보다는 확실한 피드백을 통해 실수를 줄이는 것이 필요하다. 직원이 실패로 인해 의기소침해서는 안 되며 철저한 반성을 통해 성장하게 해야 회사가 성장한다. 직원을 믿음의 존재로 착각하지 말고 믿고 있고 지지한다는 메시지만을 주어라. 항상 실패하고 실수를 하며 그것을 통해 성장함을 명심하자.

한편 금전에 대해서는 사람 관계에 더욱 조심을 해야 한다. 돈을 빌려주고 반드시 받을 것을 확신하면 돈도 잃고 사람도 잃는다. 빌릴 때는 반드시 갚겠다고 약속을 하지만 상황이 변하면 도저히 갚지 못할 수 있다. 그럴 때, 배신감을 느끼고 더 이상은 안 볼 것인가? 나도 친한 선배가 큰돈은 아니지만 급하다고 해서 빌려주었다가 오랫동안 받지 못하고 서로 관계도 서먹해진 사례가 있다. 그때 느낀 것은 빌려줄 때, 차라리 그냥 준다는 생각이었으면 관계라도 서먹하지 않았을 텐데 하는 아쉬움이었다. 돈을 빌려줄 때는 받지 못한다고 생각하고 빌려주는 것이 좋다. 그래야 내가 부담되도록 큰돈을 빌려주지 않고 못 받아도 그것에 의해 스트레스를 받지 않는다. 그냥 도와주었다는 마음이 든다.

주위에서 투자를 권유받는 경우도 그렇다. 귀가 얇은 사람들이 생각보다 많다. 침 튀기며 포장된 화려한 언변과 장밋빛 미래에 눈이 돌아간다. 높은 수익만 바라보고 마음은 흥분되며 뽕 맞은 것처럼 이성이 마비된다. 그리고 나중에 정신을 차려 보면 후회하지만 돈은 이미 날렸다. 친한 사람이 권유하는 경우 그냥 믿고 따르다가 나중에는 그 사람을 욕한다. 큰돈이라도 손해를 보면 원수가 된다. 증권회사에 다니는 친한 친구에게 결혼자금을 몽땅 맡겼다가 날려서 결혼을 늦게 한 경우. 상장회사 임원으로 있는 대학 동기가 100% 확실한 호재라고 하기에 큰돈을 주식에 넣었다가 오르기는커녕 급락을 해서 이러지도 못하고 저러지도 못하고 그 동기만 원망하는 경우 등을 봤다.

투자는 본인의 최종 판단으로 해야 한다. 다른 사람의 판단으로 해서는 안 된다. 100% 확실하다고 하면 더 의심을 해봐야 한다. 100% 확실한 투자는 없기 때문이다. 오히려 성공확률이 80%라고 하는 말이 더 신빙성이 있다. 20%의 리스크에 대한 분석이라도 한 것이다. 투자를 권유하는 사람은 나에 대해 책임을 지지 않는다. 사람의 불완전함에 대해 생각을 했다면 저지르지 않았을 많은 실수를 거울삼도록 하자.

 생각해보기

- 내가 100% 신뢰하는 누군가는 나를 단 한 번도 실망시키지 않았고 앞으로도 그럴 것인가?
- 나 자신이 누군가에게 전적으로 신뢰를 주어왔고 앞으로도 그렇게 할 자신이 있는가?

⫴−⫴
시련을 먹는다

　박 모 사장은 자주 만나는 사이인데, 처음 만났을 때 반듯하고 예
의 있고 점잖은 사람이었다. 하지만 7년 전에는 회사가 어려워져 살
던 집에서 쫓겨나고 갈 곳이 없어져서 지인의 도움으로 경기도 외곽
에 천막집에서 네 식구가 생활한 적이 있었다. 2년간 그곳에서 살면
서 삶의 의미를 제대로 깨달았다고 하는데, 생활할 돈이 없어서 염
치 불고하고 여기저기에서 생활비를 빌리기도 하고 밥을 굶기도 했다
는데, 그 애기를 들으면서 나도 눈물이 날 정도였다.

　하지만 그 와중에 회사는 포기하지 않고 꾸준히 혼자라도 출근하
여 일했으며 벼랑 끝에 있는 심정으로 영업을 한 결과, 정부의 프로
젝트 한 건을 따내게 되고 이것이 회사 재건의 시초가 되었다. 정부
주요기관에의 납품 실적을 홍보하며 한 건, 두 건 이어서 수주하게
되어 망했던 회사가 다시 일어설 수 있는 계기가 되었다.

　지금은 업계에서 인지도가 있는 회사가 되었고 어느 정도 안정적인
경영으로 30년의 업력을 중단하지 않고 계속 이어오고 있다. 이런 시

련의 시기를 극복해서인지 웬만한 사업상의 문제는 그때를 생각하면 아무것도 아니라고 한다. 한 번 큰 어려움을 극복하면 그 경험이 돈을 주고는 살 수 없는 힘이 되는 것이다. 쉽게 회사를 접지 않고 끝까지 유지하면서 재기하여 성공한 케이스다.

한편 강 모 사장은 공기업에서 안정된 직장 생활을 했었는데, 가까운 친척의 사업이 어려워져 도움을 요청받고 동업을 했다. 이후에 지방에 큰 공장 부지를 경매로 매입하여 재기하려는 시점에서 그 친척이 아무도 모르게 외국으로 잠적하여 자신이 대신 모든 사업상의 채무와 해결해야 할 문제에 맞닥뜨리게 되었다. 그 분야에 문외한으로서 오랫동안 사업을 했던 그 친척도 두 손 들고 잠적을 한 사업체를 재기시키기 위하여 백방으로 노력했고, 부채를 해결하기 위하여 법원에도 자주 들락거리고 채무자와 면담을 하여 사정사정을 해야만 했다. 다행히 정상을 참작한 법원의 채무 조정으로 어느 정도 한숨을 돌리고 공장 설비와 부동산을 최소화하여 회사는 다시 처음 시작하는 것같이 출발하였다.

그리고 현재는 어려운 문제들을 대부분 해결하고 어느 정도 기반을 잡고 운영하고 있다. 본인의 잘못과 무관하게 역경에 처했지만, 그 역경을 정면으로 맞선 강 모 사장은 "안정된 직장에 계속 있었으면 이런 시련은 없었겠지만 제대로 된 인생의 맛은 못 봤을 것"이라고 말한다. 사업을 선택하여 많은 경험을 하고, 많은 사람을 알게 되었으며, 크게 넉넉하지 않아도 가족이 별 어려움 없이 살고 있으니 행복하다고 말한다. 그에게 시련은 회사와 더불어 개인 성장의 토대였다.

또다른 예로 김 모 사장은 직장 생활에 한계를 느끼고 유통업을 시작하여 초기에 많은 어려움을 겪었지만, 아이템에 대한 눈이 떠지고 기획한 가정용 제품들이 계속 히트하면서 회사가 성장하였다. 그러나 IMF 금융위기 사태로 거래처가 연쇄 부도를 맞아 하루아침에 도산하고 신용불량자가 되었다. 큰 빚을 지고 채권자들에게 쫓기면서 한동안 어려움을 겪고 극단적인 선택을 하기도 했다고 한다. 그러나 그동안 쌓아왔던 아이템을 보는 눈에 대한 확신으로 새롭게 시작하기로 마음을 다지자 새로운 힘이 솟아났단다.

그리고 새로운 아이템을 개발하여 지인의 사무실 한 공간을 무료로 사용하며 두 번째로 창업을 했다. 제품이 우연히 해외 바이어의 눈에 띄게 되어 수출이 성사되고 큰 매출로 연결되어 국내 백화점 등에서도 주문이 밀려들었다. 해외 거래선은 계속 확장되었고 향후 2년간 다가올 큰 수요를 예상하여 큰 공장부지를 마련하고 새 공장을 건설했는데, 갑자기 중국 경쟁업체들이 거래선들을 잠식하기 시작하더니 가장 큰 거래선마저 빼앗기고 말았다. 밀려드는 주문을 소화하면서 즐거운 비명을 지르기만 했지, 경쟁업체 동향에 대해서 간과한 것이 실수였다. 소비재 제품의 특성상 유사제품의 출현을 항상 염두에 두고 진입장벽을 위해 제품을 업그레이드하는 것이 먼저였는데, 주위를 살피지도 않고 앞만 보고 달린 것이다. 계속해서 성장세가 지속되리라고 예상을 하고 건설한 큰 공장은 갑자기 큰 빚으로 남게 되었다. 그리고 회사는 천신만고 끝에 법정관리에 들어갔지만, 자금조달도 거래선도 믿고 일할 직원도 부족하였다.

두 번째로 실패를 한 것이다. 하지만 김 모 사장은 계속해서 자신의 실패를 곱씹으면서 절치부심(切齒腐心)을 하고 하나씩 하나씩 문제들을 해결해 시장의 불신을 개선해나가며 거래처를 늘려나갔다. 김 모 사장의 말대로라면 도를 닦는 심경으로 하루하루를 보냈단다.

약 8년간의 절차탁마(切磋琢磨)의 시간을 보내고 법정관리를 졸업한 현재는 경영에 도통한 사장이 되어있다. 자만심과 자존심의 거품이 쭉 빠지고, 겸손하게 직원의 복지를 먼저 생각하며, 원칙을 정해 올바르게 경영하고 있다. 또한 항상 미래를 신중하게 예측하고 한 발 앞선 투자를 하고 있다. 근래에 만나본 김 모 사장은 한층 성숙해졌고 여유로워졌으며, 한마디로 사업을 통해서 인격이 다듬어졌다는 것을 느낀다.

위의 세 지인 사장들의 시련담을 보면 공통점이 있다. 시련을 피하지 않고 정면으로 돌파하여 각종 어려움을 직접 해결한 것을 보게 된다. 사업에서 실패는 필수라고 하지만 사람에 따라서 그 정도가 다르다. 사실 실패 없이 성공할 수만 있다면 그 길을 누구라도 택하고 싶을 것이다. 여기에 소개한 사장들은 많은 실패 경험을 한 분들 중에 일부를 소개한 것이고 내가 만나 본 사장들의 대부분이 다소간에 실패의 쓴맛을 본 사람들이었다. 그리고 그들은 그 시련들에 정면으로 맞섰고 그것을 극복하면서 내공을 키우고 사업적으로, 인격적으로 성숙하게 되어 오늘에 이르게 된 것이다.

사업의 세계는 내 가족과 직원 가족들의 생계를 책임지는 곳이기도 하지만 사장들이나 혹은 직원들에게도 일종의 훈련소인 것이다. 자신에게 닥친 시련을 정면으로 맞선 사람들에게만 말이다.

 생각해보기

- 사업상 닥치는 시련은 어떤 의미가 있나?
- 나는 어려움이 닥치면 끝까지 돌파하는 타입인가, 아니면 일단 회피하려고 하는 타입인가? 아니면 지름길을 찾는 타입인가?
- 내가 회피했던 그 어려움이 다시는 나를 찾아오지 않을까?

정치는 중치

요즘 한국 사회에 주요한 이슈 중의 하나는 진보와 보수의 갈등이다. 외국의 어떤 학자들이 한국은 우수한 민족인데, 단결을 못하는 것이 단점이라고 하는 것을 보았다.

필자는 오래 전 한 중소기업에서 일할 때, 인도의 마드라스(Madras, 現 Chennai)라는 항구도시의 현지법인에 파견되어 2개월간 일하면서 한국으로부터 생산장비의 수입과 인도 현지의 원자재 공장 교섭 업무를 처리한 적이 있다. 그때, 어떤 회사의 인도 법인장이 말하기를 마두라스에 500명 정도 교민이 있는데, 3개 파로 나뉘어 서로 만나지도 않는다고 자조(自嘲)하는 것을 들었다. 그때는 그것에 대해 별 관심을 두지 않았고 어떤 특수한 경우로 치부했기 때문에 그 이유에 대해서는 정확히 기억은 나지 않지만, 지금 생각하면 고향과 멀리 떨어져 살면서도 서로 단합해서 위로하고 도와주며 살지 못하는 것이 안타깝다.

조선 시대에도 극심한 당파싸움으로 인한 국력의 약화가 일본이

조선을 만만하게 여기도록 해 임진왜란을 초래하는 원인의 하나가 되었고, 조선 말기에도 일본이 개방을 통한 서양 문물 유입으로 군국주의를 강화하는 중에도 우리는 힘을 하나로 합치지 못하고 결국 경술국치를 초래 초래하였다. 필자가 보기에 한편으로는 우리나라 사람들이 너무 우수해서 각자도생(各自圖生)으로 나가려고 하는 것이 아닌가 싶기도 하다. 구한말 서양의 한 선교사가 한국을 비롯한 아시아 각국에서 몇 년을 살고 돌아가서 한국인을 평가할 때 주변 나라 사람들에 비해서 똑똑한 사람들이라고 평하곤 했다. 그래서 세계에서 유래를 찾을 수 없이 짧은 시간에 고도성장을 이루어 선진국에 다다른 민족이 되었다. 아마도 조금만 서로 단결해서 힘을 하나로 합친다면 큰 힘을 낼 수 있다고 본다.

물론 서로 도와주고 끌어주는 온정이 또한 한국인의 주요한 특성이다. 그렇지 못한 사례들이 더욱 이슈가 되어서 우리를 단결하지 못하는 민족으로 규정하게 되는 면이 없지 않다. 하지만 국가적인 변란 때에는 계급과 신분을 떠나서 모두가 힘을 합해 어려움을 극복한 불굴의 유산들이 많이 있다.

정치의 수준은 국민의 수준을 대변한다. 정치가들을 욕할 것이 아니라 그 사람들을 뽑아준 사람들도 반성해야 한다. 지역적인 이기만을 보고 투표한다든지, 정책보다는 언변이나 외적인 면을 주로 보고 투표하는 것은 스스로 유권자의 수준을 깎아내리는 것이다. 과거 성과나 잘못을 면밀히 검토하는 등 유권자들도 노력해야 올바른 정치가를 만든다. 현재 표출되고 있는 진보와 보수의 갈등은 좋은 대한민국을 위한 갈등이라고 본다.

세대 간의 갈등, 계층 간의 갈등 등 갈등은 늘 존재해 왔고 그것을 해결하는 과정에서 사회는 발전해 왔다. 하지만 나와 가치관이 다르다고 무시해 버리고 외면하거나, 생각이 다르다고 상대의 의견에 귀를 막는 것은 사회를 후퇴하게 한다. 나의 주장도 상대방의 말을 귀담아듣는 데에서 출발한다. 나의 주장만 하는 것은 허공에 대고 떠드는 공허한 외침이다. 말도 안 되고 억지라고 생각을 해도 끝까지 들어주는 것이 예의이고 대화의 기본이다. 이런 기본적인 대화의 룰만 제대로 실천된다면 서로에 대해 이해의 폭이 넓어지고 그 갈등은 생산적이 되며, 사회는 차원이 높아지는 것이다.

지금 가장 선진적인 사회를 이루고 있는 유럽도 18~19세기를 넘으면서 많은 분야에 첨예한 갈등을 우여곡절 속에 넘기면서 시민들이 성숙해지고 사회가 발전한 것이다. 지금 우리도 그 과정 중에 있다. 우리의 경제는 짧은 기간에 급속도로 성장했지만, 시민들의 성숙도는 많이 좋아지기는 했어도 무언가 부족한 면이 없지 않다. 필자가 여기에서 정치라는 제목을 달고 얘기하고 있는 것은 사업가들이 이 문제에 대해 분명한 태도를 지니고 있어야 한다고 생각하기 때문이다.

사업가는 사업의 세계에서는 중치(中治)가 되어야 한다. 더 정확히 표현하면 진보도 보수도 뛰어넘어 어디에서 든 적응을 해야 한다. 정치과 사업은 분리되는 것이 좋다. 한 시민으로서 정치적인 견해와 가치관은 중요하지만 한 사업가로서 한계를 인식하고 내가 할 수 있는 범위에서만 행동으로 표현하면 된다. 그 나머지는 정치인들에게 맡기고 나는 사업에 집중하는 것이 좋다. 어떤 정권이 어떻게 정치를 하든지 나는 그에 적응을 잘하는 것이 현명하다. 그것에 대해 비판은 할 수 있고 청원도 해볼 수 있으며 SNS에 주장을 올릴 수도 있지만, 사업가로서 내가 바꿀 수 있는 것에는 한계가 있다.

사업은 5년만 하는 것이 아니라 30년, 50년, 대를 이어서도 한다. 200년, 300년 된 회사들은 비판보다는 그때그때 상황이 어떠하든지 간에 적응을 잘한 회사들이다. 이것은 우유부단이나 줏대가 없는 것이 아니다. 만일 그게 정 어렵고 정치에 관심이 많다면 회사를 누군가에게 맡기고 사업가보다는 정치인으로서의 길을 신중히 생각해 볼 일이다.

사업과 정치는 다른 방법과 역량을 필요로 한다. 세상을 바꾸어 보려고 정치에 뛰어든 사업가는 대부분 회사를 어렵게 하고 때로는 망하게 한다. 세상은 사업의 세계에서도 얼마든지 정치에 못지않게 바꿀 수 있다.

사업가는 어떤 정치와도 잘 지낼 수 있어야 한다. 사업의 세계에 들어와서는 사업적 신념이 정치적 신념을 이끌어 가야 한다. 그렇지 않으면 정치적 변화 앞에서 잦은 불평과 비판을 하다가 사업이 단명할 수 있다. 저녁에 친구들과 만나서 건전하게 자신의 정치적 신념에 대해 주장하고, 다음날 아침에 회사에서는 오로지 회사 일에만 신경을 쓰고 정치는 잊는 것이 현명하다.

 생각해보기

- 나는 사업을 위해서라면 어떤 성향의 정부나 정치인과도 잘 지낼 수 있는가?
- 나는 정당, 정치인을 비판만 하는가? 아니면 그들과 어떻게 하면 잘 지낼 수 있는지 고민하는가?

행복의 거리(距離)

   한 방송국에서 지구촌에 있는 원주민들을 직접 찾아가서 생활상을 보여주는 프로그램이 있는데, 그중에 아프리카 콩고에서 아직도 수렵으로 먹고사는 한 원주민 부족에 대한 이야기가 기억이 난다.

   어업을 하면서 어림잡아 15가구가 전통적인 움막집을 짓고 살고 있었는데, 젊은 남자들은 먼 거리에 있는 호수에 가서 고기를 잡아 오고 여자들은 곡식을 돌로 빻아서 죽처럼 만들어 식사를 만드는, 그야말로 문명이 들어오기 전의 생활양식 그대로였다. 그해에는 가뭄이 심했는지 여자들이 물이 완전히 말라버려 흙만 있는 강에서 흙을 파고 물을 찾아 고이게 하여 그대로 물통에 담아가지고 아이들에게 그 물을 먹였다. 빨래는 아마 몇 주간 하지도 못한 것 같다.

   그러나, 웬일인지 마을 촌장이 비가 오지 않는 것을 걱정하는 것을 제외하고는 원주민들 모두의 얼굴이 밝았고 평온한 것을 볼 수 있었다. 젊은 사람들은 물고기를 잡으러 걸어서 먼 거리에 있는 다른 호수로 가면서 노래를 흥얼거렸고 아이들은 죽 같은 곡식을 하나의 큰 그릇에 받아서 7명이 둘러앉아 손으로 같이 먹으면서 깔깔거리고 즐거워했다. 그들은 행복해 보였다. 문명과는 동떨어져 살아가면서 모든 것이 불편하고 비위생적이고 힘들게 보이지만, 그들은 그렇게 느끼지 않고 자신들의 삶에 만족해했다.

행복이라는 말은 사전적으로는 '심신의 욕구가 충족된 상태'로 정의가 되고 즐거움, 기쁨, 평안 등의 단어로 표현되기도 한다. 그 상태가 일시적이 아닌, 지속적인 것을 행복한 삶이라고 할 수 있겠다.

우리는 그 원주민들보다 가진 것이 훨씬 많은데, 왜 불행하다고 느끼는가? 차도 있고 비데가 있는 좌식 변기와 엘리베이터가 있는 아파트, 잘 발달한 대중교통, 언제 어디에서건 서로 대화를 할 수 있고 각종 정보와 엔터테인먼트가 장착된 스마트폰. 추운 겨울과 무더운 여름에도 끄떡 없이 견디게 만드는 에어컨디셔너 시스템. 모든 편리한, 위생적인, 즐거움을 주는 환경에 살고 있는 우리가 왜 오히려 더 불행하게 느끼는가?

행복이라는 단어의 사전적 의미를 다른 말로 하면 '만족'이다. 불행하다고 느끼는 사람들은 만족하지 못하는 것이다. 만족하지 못하는 상태가 지속되고 있는 것을 '불행한 삶'이라고 한다. 그 원주민들의 열악한 환경을 보고는 "어떻게 저런 환경에서 살면서 행복해 하는가?"라고 생각하기가 쉽다. 나는 가끔 우리나라보다 10배

이상 국민소득이 적은 동남아시아 국가를 방문할 때, 저렴한 호텔에서 묵고 주로 서민들의 동선을 따라서 재래시장에 가보며, 택시보다는 걸어서 여행하는 경우가 많다. 처음엔 불편하고 비위생적인 환경을 맞아서 괴로움이 있지만, 며칠 지나서 길거리의 상인들과 보디랭귀지로 이야기도 하며 같이 사진도 찍으면 그 괴로움은 어느새 없어진다. 기쁨의 틈새를 찾으면서 그들이 행복해하는 이유를 맛볼 수 있다. 우리나라도 불과 몇십 년 전, 필자가 어린 시절에는 동일한 환경이었다. 그런데 특별히 불행하다고 생각해본 적이 없었던 것 같다.

만족하지 못하는 이유는 비교하기 때문이다. 우리보다 나아 보이는 사람들과 비교를 한다. 더 큰 평수의 집을 가진 사람들, 더 비싼 차를 가진 사람들, 더 수입이 많은 사람들, 더 멋져 보이는 사람들, 더 학벌이 좋은 사람들, 더 똑똑해 보이는 사람들, 더 그럴싸한 직업을 가진 사람들, 더 높은 지위에 있는 사람들을 부러워하면서 스스로 부족함을 느낀다. 부족함을 느끼는 것에서 더 나아가 불만족을 느끼는 상태가 지속이 되면 불행한 삶이 된다.

자족은 행복의 지름길이다. 비록 작은 집이지만 잘 정리하고 배치를 하면 더 커 보이고 깔끔해 보여서 지저분하고 냄새나는 큰 집보다 나을 수 있다. 세상에는 나보다 더 작은 집에 사는 사람들도 많다. 지구촌으로 눈을 돌리면 아프리카, 남미, 동남아의 수많은, 우리보다 훨씬 작은 집에서 10여 명이 살고 있는 사람들도 많다. 비록 어떤 이유로 고학력이 아니고 수입이 상대적으로 적은 직업에 종사하지만, 수입을 알뜰하게 저축하고 관리하여 자녀를 기르며 한 가정을 책임지고 있다면 조직과 사회에 공헌하고 있는 것이다. 그것만으로도 그 사람이 행복해야 할 충분한 이유가 된다. 고학력이지만 본인 눈높이에 맞는 직장만 찾다가 장기간 실업 상태로 나이 30이 넘어서도 전적으로 부모에 의존하려는 사람보다는 훨씬 나아 보인다. 많은 수입을 벌더라도 허영심이 많아 돈을 모으지 못하며 가정에 우환(憂患)을 가져오는 사람들보다는 더 행복해 보인다.

불행한 사람들은 스스로 불행을 초래한다. 객관적으로 보면 긍정적인 면이 많아도 부정적으로만 생각하는 습관이 있다. 다른 사람들을 보면서 부러움을 느끼고 자신과 비교할 때, 어떤 부정적인 생각이 떠오르는지 살펴보자. 스치는 부정적인, 좋지 않은 생각을 그냥 지나가도록 방치하면 안 된다.

사전조율 없이 자동적으로 던져지는 독백은 잡아서 요리를 해야 한다. 요리의 재료는 '왜?'이다. 왜 그런 말이 떠올랐는지 다시 생각을 해야 한다. 예를 들어서 '짜증나!'라고 독백을 했다면 왜 그런 말이 떠올랐는지 생각을 해보자. '어제 어떤 일이 떠올라서, 누구에게 한 말이 실수라서'라면 그게 어느 정도로 심각한 실수인지, 상대방이 어떻게 받아들였을지를 그 사람의 입장에서 생각해 보자. 보통은 다음 날이 되면 짜증이 날 정도로 그리 큰 실수는 아니라는 것을 깨달을 것이다. 그리고 다음에는 좀 더 주의할 필요가 있다는 것도 알게 될 것이다. 마음이 안정되고 나의 개선은 덤이다.

그러나 불현듯 떠오르는 것들을 내버려 두면 그 독백은 그것의 원천이 완전히 망각 속으로 들어가기 전까지 계속해서 나를 괴롭힌다. 그런 것들이 나의 인지(認知) 체계 안에서 해결되지 않고 쌓이면 스트레스 덩어리가 되고, 이유 없는 분노, 그리고 우울로 진행이 된다. 그러면서 '불행한 사람'이 된다.

좀 더 넓게 세상을 보고 사회의 일원으로서 무엇을 어떻게 공헌하고 있는지. 이웃과, 세상 사람들과 어떻게 지내고 있는지 자신을 바라보자. 나의 말 한마디, 웃음, 친절로 그들에게 행복을 주는지. 아니면 비교를 하면서 방어적이고 나아가서는 적대적이 되어 스스로 불행의 늪에 빠지고 있지는 않은지.

우리는 모두 이 사회의 한 부분을 담당하고 있는 일원이다.

누가 잘났고 못난 것이 없이 모두가 다 가치 있고 중요한 몫을 담당하고 있다. 직업도 천하거나 귀한 것이 없이 모두 동일한 가치를 가지고 있다. 나의 외모, 재산, 가정, 친구, 지식.

나라는 사람은 이 세상에서 둘도 없는 단 한 명으로 누구와 비교를 할 수가 없다. 어떻게 해왔던, 무엇을 하던, 어디에 있든지, 지금

건전하게 하루하루의 삶을 충실히 살아가고 있다면 분명히 비교할 수 없는 가치 있는 삶을 살고 있다. 우리는 행복할 자격이 있다.

 생각해보기

- 나는 행복한가? 이유는 무엇인가?
- 내가 원하는 것을 갖게 되면 더 이상 비교하지 않을까?
- 오늘 하루 내 머릿속에 떠오른 부정적인 생각들은 무엇이었나?

미워하지 않는 방법

아무리 악독하고 좋은 점이라고는 눈 씻고 봐도 안 보이는 사람도 한 가지 장점은 있다. 단점만 있는 것 같아도 최소한 한 가지 좋은 점은 있다. 악하고 나쁘기만 한 사람인 줄 알았더니 마음은 여린 사람도 있고, 다른 모든 사람들에게는 나쁘게 굴어도 어머니에게만은 효자인 사람도 있다.

보통사람들은 조금 만나서 이야기하다 보면 한두 가지 정도는 장점이 보인다. 어떤 사람이 밉더라도 장점 하나가 보이면 그 사람을 미워하던 마음이 풀어진다. 그러면 또 다른 장점이 없는지 살펴보자. 우리의 미움은 모든 장점을 덮은 채 안 좋은 면만을 보면서 시작된다. 부부 사이나 형제, 친한 친구 사이도 장단점을 대체로 다 알고 있지만, 어느 때는 내 마음속에서 장점이 안 보일 때가 있다. 그때는 미움이 일어날 때다.

직장 동료, 이웃 등 어설프게 아는 사이에서 미움이 잘 일어난다. 심지어 길을 걸어가다가도 마주 걸어오는 사람에게조차 미움을 느낄 수가 있다. 잘 모르는데, 뭔가가 마음에 들지 않기 때문이다. 그렇지만 그 짧은 순간에도 장점을 볼 수 있다. 단점을 보았다면 장점도 볼 수 있다. 인상이 험악한 게 미움의 시작이라면, 남자답고 씩씩한 기운도 볼 수 있다. 목소리가 크고 말이 많아 시끄럽다면 호탕하고 말재주가 있는 면도 볼 수 있다.

문제는 나한테 있다. 내가 어떻게 보는가는 내 마음속이 어떤 상태인가와 관계가 있다. 긍정으로 꽉 차 있으면 장점이 보이고 부정으로 차 있으면 단점이 잘 보일 것이다. 우리가 미워하고 있는 사람이 있다면 그 사람에 대해서 찬찬히 살펴보자. 장점이 잘 떠오르지 않는다면 내 마음속이 어떤 상태인지 살펴보자. 무언가 불만이 있고 일이 잘 안 풀려서 욱하는 성질이 올라오고 있지는 않은지. 세상이 각박하게만 보이고 다른 사람들과 비교하기를 즐기지는 않는지. 받기만 하고 주려고 하지 않는지. 그렇다면 내 마음을 먼저 정화하자. 내가 그 사람을 미워하는 것이 아니라 내 마음의 상태가 반영된 것이다.

그 사람이 미운 것이 아니라 내 마음이 미워져 있는 것이다. 다른 말로 하자면 내 마음이 병들어 있는 것이다. 몸만 병이 있는 것이 아니라 마음도 병이 있다. 그러나 몸이 치유되듯이 마음도 치유된다. 몸을 치유하려면 노력해야 하듯이 마음도 마찬가지다.

장점 보기 운동. 장점을 보는 것도 운동이 필요하다. 자꾸 장점을 보는 것을 습관화할수록 장점을 보는 근육이 단련되어서 더 잘 보게 된다. 미운 사람을 그냥 사랑하라면 잘 안되니까 매개체를 삽입하는 것이다. 그 사람의 장점을 찾다 보면 사랑스러워진다. 미운 짓만 하는 자식을 어머니가 결코 미워할 수 없는 것은 왜일까? 그는 내 몸 안에서 잉태된 내가 낳은 자식이기 때문이다. 강력한 이 장점은 허다한 단점들을 덮는다.

미운 짓만 하는 사람의 장점을 찾다 보면 밉기는커녕 어느새 존경스러워지기도 한다. 이것은 아마도 인간의 선악은 종이 한 장 차이라서 그런 것 같다. 나쁜 짓만 하던 사람이 갑자기 번갯불에 맞은 듯 착한 사람으로 변해서 나에게 다가온다. 내 마음이 바뀌었기 때문이다.

사람의 마음은 연약하다. 불굴의 의지를 보이기도 하지만 한없이 약하기도 하다. 이 세상을 긍정적으로 봐야 하는 이유가 여기에 있다. 우리는 변할 수 있기 때문이다. 그들은 변할 수 있다. 내가 장점을 보기 시작하면 상대방의 태도가 바뀌는 것을 보게 된다. 나의 마음이 바뀐 것을 그도 느끼기 때문이다. 상대방이 설사 금방 바뀌지 않더라도 신경 쓸 것 없다. 내 마음이 긍정으로 변한 것이 중요하니까. 장점 보기의 목적은 내 마음의 변화에 있다. 상대방의 변화는 보너스이다.

 **생각해보기**

- 한가한 거리에서 마주 오는 낯선 사람을 보면 어떤 느낌이 드는가?
- 내가 싫어하는 사람은 누구이고 그 사람의 장점은 무엇인가?
- 지금은 자기표현의 시대라고 하는데, 내 장점을 지혜롭게 알리는 방법은 무엇인가?

팬데믹에의 적응과 기회

    지금 전 세계는 감염병의 파도에 휩쓸리고 있다. 어느 한 나라도 여기에 영향을 받지 않는 곳이 없고, 유례없는 고통이 계속되고 있다.

    인류는 과거에 몇 차례 세계적인 감염병을 겪었다. 유럽 인구의 약 50%가 사망했다고 추산되는 흑사병, 전 세계적으로 약 2,500~5,000만 명의 사망자를 발생시켰던 스페인 독감. 그리고 지난 10여 년 전부터 신종플루, 사스, 메르스의 등의 감염병이 인류를 압도했었다. 교통의 발달로 인하여 그 전파 속도가 전과는 비교할 수 없을 정도로 빨라졌다. 그리고 여기에 대응하여 인류는 과학과 의학의 발달로 응전을 해왔다.

    코로나-19도 곧 지나간 시기의 세계적인 감염병 중 하나로 역사의 한 페이지를 차지할 것이다. 인류에게는 발달한 도시화와 교통, 일일 생활권화가 가속될수록 다가올 감염병에 취약해질 것이고, 이것을 또한 과학, 의학기술의 발전으로 대응할 것이다.

    그럼 우리는 무엇을 해야 하는가?

    바이러스로 인해 정지된 이 기간이 지금껏 달려온 페달을 멈추고 지금 어디로 가고 있는지, 무엇을 위해서 가고 있는지를 깊게 생각해야 할 기회를 주었다고 생각한다. 우리 문명의 발달 방향이 맞게 가고 있는지. 우리의 쾌락과 편안함을 위해 수많은 사람들을 희생시키고 있지는 않은지. 과연 신기술이 우리에게 진정한 혜택을 줄 것인지. 아니면 그것으로 인해 정신적 타락과 인격이 고갈되고 있지는 않은지. 자본주의의 승리에 도취해 물질 만능주의와 승자 독식주의에 열광하고 있지는 않은지. 우리의 제도, 세계질서, 문화의 흐름을 되새겨볼 때다.

이 사태를 통해서 우리의 내면을 성장시키는 시간으로 삼자. 그동안 차분히 자신을 돌아볼 시간이 없었다면 지금이 그럴 시간이다. 과거를 반성하고 자기를 성찰할 적기이다. 취미생활도 독서, 글쓰기, 명상, 서예, 그림, 사진 등 사람을 만나서 하는 취미보다 조용히 개인적으로 할 수 있는 것을 통해 자신을 발전시켜보자. 운동도 개인적인 운동을 계발해보자. 필자는 7kg 아령 두 개를 사서 양손에 잡고 4가지 동작으로 운동을 하는데, 한 동작에 12번 정도의 아령을 들고 나면 상체 근력운동은 더 할 필요를 못 느낀다. 복식호흡, 팔굽혀펴기, 스트레칭 등 개인 운동을 통해 면역력을 강화하자.

또한 소소한 일상 속에서 자족하며 행복을 추구하는 생활을 해보자. 먼 곳을 여행하거나 많은 사람들을 만나는 대신 내면적인 생활 속에서 행복을 찾을 시간이다.

이 사태를 통해서 또 하나 빼놓지 못할 것은 이웃들의 사랑이다.

우리는 목숨을 걸고 환자들이 있는 위험한 곳에 자원해서 달려간 의료인들을 알고 있다. 자발적으로 조금이나마 돕겠다며 나선 자원봉사자들을 보았다. 이웃의 어려움을 돕겠다며 월세를 받지 않는 건물주들을 알고 있다. 그리고 마스크를 철저하게 쓰고 개인의 자유를 제한하며 정부의 방역을 잘 지켜온 보통사람들을 본다. 그들이 있기에 우리나라가 방역을 통해서 국격을 높였고 위기를 잘 극복해 나가고 있으며 그 혜택을 서로 공유하고 있다.

서구 개인주의는 이 사태로 인해 취약점을 노출했고 전체를 무시하는 개인주의와 자유주의는 큰 위험을 초래함을 지켜봤다. 지금 우리는 책임소재의 논의와 반성도 필요하지만, 정말 필요한 것은 가장 고통스러운 사람들에게 다가가 도움을 주는 것이다. 정신적으로 고통을 받는 사람들에게 다가가거나 전화로 위로를 해주며, 소상공인들에게 물건을 살 때 힘내시라고 따뜻한 격려를 해주자. 그리고 경제적 어려움을 호소하는 지인들을 찾아가 도움을 주는 등 내가 할 수 있는 베풂을 찾아보자.

이 사태로 또 하나 생각해 볼 것은 비즈니스 세계다. 자발적이든 비자발적이든 우리는 최소 2년여간 지금껏 경험하지 못했던 전 세계적인 폐쇄를 경험하고 있다. 그리고 이 시간 동안 비즈니스 환경이 급격히 변화하고 있다. 그렇지 않아도 급성장을 하던 온라인 비즈니스가 엄청난 성장을 하고 있고, 방역제품에 대한 수요가 날개를 달고 있다. 면역력에 관련된 제품의 인기가 치솟으며, 언택트 비즈니스가 빠르게 떠오르고 있다. 사람들은 거리두기의 장기화로 심리적 해결을 갈망하고 있고 기존의 산업이 재편되고 있다. 한마디로 온라인 등 떠오르고 있었던 비즈니스가 코로나 사태를 계기로 급상승을 하게 된 것이다.

이제 과거로 회귀하는 것은 어렵다. 전에는 주로 오프라인으로 물건을 샀던 사람들이 어쩔 수 없이 온라인 쇼핑을 하면서 그 편리함을 경험하고 서로 만나지 않아도 인터넷 화상시스템으로 대화를 하고 교육을 받으면서 효율적인 시스템의 경험을 한 이상 그 편리해진 패턴을 버리지 않을 것이다. 어차피 도래할 미래세계가 코로나로 인해서 급격히 앞당겨진 것이다. 바이러스에 대한 지식과 경각심으로 새로운 산업이 급발전하고 변화된 소비행태는 계속 유지될 것이다. 또한, 코로나 종료 후에도 언제든지 이러한 종류의 바이러스가 다시 전 세계인들의 발을 묶어 놓을 수 있다.

코로나 이후에 이 변화를 감지하고 미래를 예측하여 미리 비즈니스 모델을 만든 기업들은 기회를 얻을 것이고 그렇지 못한 기업들은 도태될 것이다. 내가 속한 산업과 비즈니스가 소비자의 소비 추세와 맞지 않는다면 과감히 변화해야 한다.

비즈니스를 새로 시작하려면 새로운 시대에 맞는 적합한 모델을 구축해야 한다. 오프라인만 하던 업체들은 온라인 생태계 안으로 들어오는 것이 필요하다. 소비자들의 급속한 온라인 구매, SNS 활동 등은 코로나 시대의 유산이 아닌 대세적 추세이기 때문에 오프라인만 집중하는 회사들은 점점 경쟁력을 잃을 것이기 때문이다.

수출기업들은 홈페이지, 제품의 콘텐츠를 더 강화하여 직접 만나지 않고도 인터넷을 통하여 회사와 제품에 대해서 알 수 있도록 해야 한다. 동영상과 나아가서는 VR(Virtual Reality, 가상현실) 기술을 활용하여 회사의 쇼룸에 있듯이 바이어들에게 보여주는 것도 현실적인 바이어 개척의 좋은 방법이다. 회사를 디지털화하여 언제, 어디에서든 즉시 회의와 제품소개를 할 수 있는 환경을 구축해놔야 한다. 만나지 않고도 고객에게 신뢰를 주고 판매 계약까지 성사시킬 수 있는 환경이 필요하다.

방역제품과 바이러스 예방에 민감해진 소비자에게 건강식품, 친환경 제품, 그리고 비건(Vegan: 동물성 제품을 사용하지 않음) 제품과 관계가 있는 비즈니스는 계속해서 성장해나갈 것이다. 또한 원격교육서비스, 화상회의, 원격 진료 등의 비대면 관련 비즈니스도 성장세가 꺾이기 힘든 분야이기에 유망하다. 팬데믹 2년 차에 접어든 2021년의 수출 추세를 보면 비대면 관련 IT 제품이나 친환경 관련 제품들은 오히려 팬데믹 이전보다 수출이 늘어나고 있다. 이러한 변화를 예의 주시하면서 현재보다 앞서서 미래를 예측하며 제품과 서비스를 변화시켜야 할 것이다.

우리나라의 기업들이 그동안 패스트팔로어(Fast Follower: 빠른 추격자, 빠른 모방) 위주의 비즈니스로 이만큼 성장해 왔다면 이제는 생각하는 비즈니스, 창조력을 통한 비즈니스를 통해 성장할 것을 모색할 시간이다. 기업 간의 이동 등 모든 것이 경색된 이때, 지식기반, 창조기반의 조직으로 재편하여 생각의 근육을 단련시키는 기회로 삼자.

우리나라가 방역 모범국으로서 국제사회에 알려져 국가 이미지가 많이 올라간 것을 느낄 수 있다. BTS 등의 아티스트가 세계적인 주목을 받고 건전하고 독특한 한국의 문화에 세계인이 열광하고 있다. 이것은 적극적으로 해외 시장을 개척하여 회사의 기반을 더욱 단단히 하고 글로벌화 할 기회이다. 환경의 변화는 그것을 준비한 창업가와 조직의 것이다.

 생각해보기

- 바이러스로 인한 팬데믹을 나는 위협으로 보는가, 기회로 보는가?
- 팬데믹 하에서 내 사업의 변화되어야 할 것은 무엇인가?
- 위기에서 기회를 발견하기 위해서 어떤 마음가짐이 필요한가?

쉬는 것도 일이다.

잘 쉬는 것도 능력이다.

일을 할 때에 자기 자신을 모니터링하는 것이 필요하다. 일에 집중하다 보면 몸 상태에 대하여 잊을 때가 많다. 필자도 어떤 일을 집중하다 보면 머리가 띵 하거나 상대적으로 약한 부분인 위장과 기관지 계통에 어떤 고통을 감지하지 못하거나 감지한다고 해도 하던 일을 마무리하려고 무시한다. 그러다가 감기에 걸리기도 한다. 그러면 한 일주일은 평소의 절반 이하 정도밖에 업무 효율이 오르지 않는다. 감기는 초기에 잡아야 오래가지 않는다. 나는 감기에 걸리면 최대한 일을 적게 하고 완쾌를 위해 집중한다. 그러면 3일이면 완쾌할 수 있다.

아내는 감기에 한 번 걸리면 오래간다. 몸이 약해서가 아니라 오히려 그 반대다. 감기에 걸려도 계속해서 평상시와 같이 집안일 등을 하다가 초기에 잡지 못하고 일주일이 넘으면 이제 잘 낫지 않는다. 한 달을 달고 있는 경우도 몇 번 봤다. 그러다가 줄줄이 가족에게 사이좋게 나누어 주기도 한다.

일에도 쉬는 타이밍이 있다. 집중은 하되 최소한의 자기 몸을 감지하는 감각은 열어놓고 일을 해야 한다. 더 이상 효율이 오르지 않거나 몸이 뭔가 신호가 오면 잠시 쉬어야 한다. 한 10분 정도만 밖에 나가 바람을 쐰던지, 잠시 소파에 앉아 눈을 지그시 감고 명상을 한다든지, 맨손체조를 한다든지, 기분을 전환할 수 있는 것을 한 후에 다시 일하는 것이 더 효율적이고 건강에도 좋다. 요즘에는 컴퓨터나 스마트폰을 많이 보기 때문에 자주 눈 운동을 해준다든지, 눈을 감고 잠시 있다든지, 먼 곳을 응시하는 등의 휴식을 통해 눈을 보호해 주어야 한다. 눈의 피로가 정신의 피로로 이어지기 때문이다.

지인 중에 한 분은 학교에서 공부하듯이 50분 일하고 10분 쉬면서 온종일 일해도 힘들지 않고 집중이 더 잘된다고 한다. 내 경우로는 2시간 이상 계속해서 일하기보다 한 번쯤 10분 이상 쉬어주는 것이 더 효율적이다. 일할 때도 머리는 집중하되 신체는 이완하면서 하는 것이 더 좋다. 집중할 때는 자연스럽게 어깨에 힘이 들어가기 마련인데, 이때 의식적으로 어깨를 한 번씩 이완하는 동작을 해주면 더 오래 일할 수 있고 스트레스도 적어진다. 그렇다고 집중력이 떨어지지 않는다. 모든 운동의 기본이 몸에 힘을 빼고 해야 하는 것과 같은 이치다.

최소 한 주에 하루는 온전히 쉬는 시간을 가져야 한다. 일주일에 이틀을 쉬는데, 업무적으로 사람들을 만난다든지 해서 그중에 하루를 못 쉰다면 남은 하루는 온전히 편안하게 쉬어야 한다. 쉴 때, 책을 읽는 것도 좋고 음악을 듣는다든지 산책이나 등산을 하는 등 여러 가지 방법이 있는데, 운동하면서 음악을 듣거나 오디오북을 듣는다면 좀 더 효율적으로 휴식 시간을 사용할 수 있을 것이다. 하지만 과도한 운동이나 정신적 에너지를 사용하는 것은 다음날 오히려 좋지 않은 영향을 미칠 수 있으므로 적당한 선이 좋다. 쉬는 것은 리프레쉬(Refresh)로서 그동안 쌓인 스트레스를 풀고 재충전을 하여 다음날 가장 최상의 컨디션을 갖는 것이라는 것을 기억하자.

일반 직원들은 보통 한 달에 하루 정도의 연차를 사용하여 쉰다. 징검다리 연휴와 주말을 포함해서 4일 동안 여행을 가기도 한다. 그러나 사장들은 많은 해결해야 할 일들이 머릿속이 있어서인지 연차를 잘 사용하지 않는 경우가 많다. 사장들도 한 달에 하루는 연차를 사용하는 것이 좋다. 평일에 쉬면 어디를 가도 사람들이 많지 않기에 쉬기 좋다. 보통 좋은 아이디어는 머리 싸매고 책상에서 얻는 것보다 이렇게 가벼운 휴식의 시간에 얻는 경우가 많다.

때로는 직원들과 야외에서 운동도 같이하고 공기 좋은 곳에서 워크숍을 하면서 쉼과 화합을 도모하도록 하자. 워크숍도 너무 무거운 주제보다는 기존에 정한 계획을 다짐하는 시간이나 가벼운 게임, 아이디어 창출하기 등의 프로그램을 통해 쉬고 있다는 느낌을 주어 부담감이 없도록 하는 것이 좋다. 그리고 분기에 한 번이나 반기에 한 번은 가족과 함께 여행을 해보자. 국내도 좋지만 해외의 이국적인 곳에서 새로운 경험과 새로운 문화를 접해보는 것을 추천한다.

필자는 해외 전시회나 해외 거래선 미팅이 잡히면 될 수 있는 한 가족을 동반한다. 필자가 일하는 동안에 아내와 아들은 여행하고 거래처나 전시회에 같이 방문하기도 한다. 그렇게 해서 아들은 지금까지 많은 국가와 도시를 다녀서인지 외국인을 만나도 별로 거부감이 없고 세상을 보는 시야가 넓어졌음을 보게 된다.

여행도 패키지여행보다는 자유여행을 가는 것이 좋다. 패키지여행이 편리하고 짧은 시간에 많은 명소를 볼 수 있지만 스스로 계획하고 찾아가는 재미는 없다. 무엇보다 필자가 좋아하는 동선을 선택할 수 있기에, 재래시장에 가서 상인들과 얘기를 나누고 뒷골목도 걸어보며 그 나라의 생활을 몸소 체험할 수 있어서 좋다. 가족과 패키지여행을 한 번 갔는데, 일정에 쫓기면서 충분히 음미하지 못하고 명소만 돌아다닌 기억만 어렴풋하다. 하지만 아내와 아들과 직접 길을 찾으며 여행한 기억은 짙게 남아있다.

쉼은 테크닉이다. 일을 잘하는 것도 중요하지만 쉬는 것도 일의 연장이다. 잘 쉬는 사람이 일도 잘하고 즐겁게 일한다.

 생각해보기

> – 나는 일주일에 최소 하루를 오로지 편안하게 쉴 수 있나? 그렇지 않다면 방해물들은 무엇이고 그것들을 적절히 조정할 수 있는 방법은?
> – 편안히 쉬었던 하루의 공백이 다음 한 주에 어떤 해(害)가 되는가?

가정과 사업의 상관관계

    사장에게는 특히 가정이 중요하다.

    가정사에 얽매여서 일을 제대로 하기 어려운 경우를 많이 봤다. 아침 출근할 때 아내와 언쟁을 하고 회사에 가면 기분이 좋을 리가 없다. 가정에 무언가 안 좋은 일이 있으면 일하다가도 걱정이 된다. 가장 긍정 에너지를 받아야 할 가정에서 부정 에너지를 받으면 안 된다.

    가정이, 결혼생활이 원만한 사장은 사업도 대체로 잘해 나간다. 잘 다스린 가정이 바탕이 되어 사업도 잘 다스리는 것이다. 현명한 배우자를 얻은 사람은 천군만마를 얻은 것과 같다. 배우자의 슬기로운 내조, 혹은 외조가 강력한 힘이 되고 어려움을 극복하는 데 결정적인 요인이 된다. 그래서, 배우자를 선택할 때는 외모보다는 현명한 사람, 됨됨이가 잘 되어있는 사람을 선택해야 한다. 많은 이성과 교제를 한 친구들은 결국 외모보다는 성격을 보고 배우자를 선택한다. 많은 경험을 해보니 외모는 그리 오래가지 않음을 잘 아는 것이다.

내가 아내를 만났을 때, 한순간에 마음이 빼앗겼다기보다는 서서히, 만날수록 마음에 들었다. 대학 시절, 한순간에 마음에 들었던 이성이 있었는데, 몇 번 만나고 어느 순간 환상에서 벗어나듯이 열정을 잃어버렸던 경험이 있어서인지 만날수록 정이 드는 상대가 좋았다.

주위에 장기간 사업을 잘 하고 있는 사장들을 보면 공통점이 있다. 다들 배우자가 좋다. 현명하고 슬기로운 배우자들이다. 아니 그런 배우자를 만들기 위해 각자 노력을 많이 했다고 하는 편이 더 정확하다. 집에 들어가면 직장에서의 피로가 잘 풀어지고 일에서의 어려움을 얘기하면 잘 들어주며 조언도 해준다. 얼마나 도움이 되는 조언이랴마는, 서로 대화를 하면서 긴장을 풀고 다음 날 다시 용기를 내어 출근할 수 있도록 도와주는 것이다. 크고 작은 문제가 없는 가정이야 없겠지만 대체로 부부 사이가 좋아서 대화로 스트레스를 풀고 사랑을 통해서 격려를 받아서 다시 용기를 내며 가정을 위해서도 열심히 사업에 매진하는 힘이 생긴다.

가정과 부부 사이에 불화가 있다면 먼저 이것을 해결하기 위해서 노력하는 것이 우선이다. '가화만사성(家和萬事成)'이라는 말은 립서비스(Lip-service)가 아니다. 참지 못해 부부싸움을 한 날은 이상하게 일이 잘 안 풀린다. 회사에서도 작은 일에 화를 낸다. 냉정하게 결정을 못하여 실수를 한다. 우선 출근하는 얼굴이 직원들에게 회자된다. 오늘 잘못 걸리지 말자고.

사랑싸움 수준이라면 약이 되기도 하고 금방 풀어지지만, 나의 인내심이 약해서, 가족에게 무심해서, 내 권위만 내세우다가 배우자와 자녀와 갈등이 많다면 자신을 개혁해야 한다. 회사만 혁신이 필요한 것이 아니다. 나의 모든 삶의 바탕이 되는 가정의 일원인 내가 먼저 혁신해야 한다.

한 CEO 포럼에서 만난 사장 중에 결혼 후 30년 넘게 살아오면서 한 번도 아내에게 화를 안 냈다고 말하는 사람이 있었다. 그 말을 들은 같은 조원들이 모두 그게 정말이냐며 믿질 않았다. 하지만 그를 죽 지켜보니 과연 그럴만하다는 생각이 들었다. 그 사장은 항상 눈에 웃음이 있고 여유가 있으며 또한 매 주말에는 다른 사람들을 위해 봉사를 한다고 했다. 그리고 그 사장의 아내와 함께 식사한 적이 있는데, 서로 내세우진 않더라도 부러울 정도로 잘 어울린다는 느낌을 받았다. 30년간 같이 살면서 서로 다툰 적이 없으니 아마 싸우는 게 뭔지도 모를 것이다. 그래서 그런지, 회사는 대기업의 1차 벤더로서 1,000억 이상의 매출을 올리며 20여 년간 탄탄하게 성장하고 있고, 최근에는 대학을 졸업한 아들이 입사하여 경영수업을 받고 있다. 아마도 아내에게 그랬던 것처럼 대기업의 어떤 졸렬한 요구사항에도 불평하지 않고 최선을 다해 대응하여 사업을 키워나갔으리라는 것을 그의 행보에서 어렵지 않게 예상할 수 있다.

배우자는 내가 하기 나름이다. 내가 존중해주는 만큼 존중받는다. 남녀의 근본적인 차이점을 인정하고 이해하는 것이 중요하다. 상대방의 성격을 잘 파악하고 맞춰주어 기쁘게 해주자. 고객에게는 그렇게 대하는데, 배우자에게는 못하고 있지는 않은지. 어느 부부상담 전문가는 콜센타 직원과 같이 배우자를 고객으로 대하라고 조언한다. "안녕하세요. 무엇을 도와드릴까요. 예, 그런 문제가 있으시군요. 많이 힘드시겠어요. 제가 도와드리겠습니다"

아내는 딸만 둘 있는 가정에서, 그리고 나는 아들만 셋 있는 가정에서 자라서 서로 이성에 대한 이해가 적은 상태로 결혼을 하여 초기에 흔히 성격 때문에 싸운다고 하는 싸움을 많이 했다. 하지만 그 '성격'이라고 하는 것은 보통 '이해의 부족'이다.

'부부싸움은 칼로 물 베기'라는 말이 있듯이 한 이불을 덮고 살다 보면 갈등이 없을 수가 없다. 그러나 칼로 물 베기도 기술이 있어야 물이 넘치지 않는다. 아무리 화가 나더라도 극단적인 비난이나 상대방에 대한 인신공격 등 자존심에 큰 상처를 줄 수 있는 말은 절대 해서는 안 된다. 말 한마디가 돌이킬 수 없는 결과를 가져올 수 있다. 서로 생각이 달라 언쟁을 할 때, 화를 내며 상대방을 위협하려고 해서는 자기의 주장이 제대로 전달이 안 되고 큰 싸움을 피할 수 없다. 어쨌거나 좋은 가정을 만들려고 하는 노력이므로 싸움도 서로의 의견을 존중하면서 해야 한다.

부부싸움은 격렬한 토론이어야지 서로 미워하는 감정이나 분노의 분출이어서는 안 된다. 그리고 잘못을 깨달은 사람은 즉시 사과해야 한다. 오히려 할 말을 하지 않고 가슴에 담아두며 사는 부부가 더 위험하다. 어느 날 갑자기 폭탄 발언이나 돌발행동을 할 수가 있다. 배우자는 나에게 가장 큰 영향을 미치는 최고의 VIP이기에 누구보다도 최선의 노력을 다해 모셔야 한다. 그러면 나에게 최고의 기쁨으로 돌아온다.

자녀들도 많은 영향을 끼친다. 자녀가 마음에 안 드는 결과를 보여준다든지, 무슨 문제가 생기면 사장의 마음은 무겁다. 일에 집중할 때면 잊어버리다가도 어느 순간 자녀 생각이 떠오른다. 자녀도 내가 다루어야 할 기업과 같은 존재다. 자녀 잘못의 원인은 부모에게 90% 이상 있다. 태어나서 지금까지 누구를 보고 배웠겠는가? 자신의 잘못을 깨닫고 자녀를 대하는 태도, 언어, 훈육 방법, 시간투자에 대해서 변신을 해야 한다. 기업에 문제가 있으면 원인분석과 해결책을 찾고 행동을 하는 것과 동일하다. 내 부모로부터 물려받은 좋지 않은 습관을 내 대에서 끊어야 한다. 그렇지 않으면 그 악습이 계속해서 대를 이어간다.

과거의 어른들이 주로 그렇듯이, 필자 아버지도 훈계하는 방식이 좀 거칠고 폭력적이었는데, 그것을 자녀에게 그대로 행하려고 하는 나 자신을 발견했다. 적지 않은 책과 가정 프로그램 참여를 통해 나 자신의 현실을 인식하고 아들에게 이 악습을 물려주어서는 안 되겠다는 결심으로 분노를 억제하고 적절히 조절하며, 될 수 있는 한 대화로 문제를 해결하려고 노력했다. 어느 순간이 되자 아들에 의해 더 이상 분노가 표출되지 않았으며 손을 대는 방법 이외에 더 좋은 방법들을 찾았다. 그리고 그 방법들이 더 효과가 있음을 체험했다.

아이들이 부모에 대해 '옳은 말을 기분 나쁘게 하는 분'이라고 정의를 내린다고 한다. 아이들에게는 훈계하는 내용보다 그 형식이 더 중요하다. 아무리 좋은 말이라도 권위적으로, 혹은 다그치듯이 한다면 아이들이 거부감을 느낀다. 반면에 잘못에 대한 지적도 인자한 얼굴로 한다면 아이들도 웃으며 자신의 잘못을 인정할 것이다.

선배들과 만나 가정에 대한 나의 문제를 얘기하고 그들의 노하우를 전해 듣는 것도 좋다. 나는 자녀 문제에 대해서 두 아들을 잘 키운 부부에게 부탁하여 함께 긴 대화의 시간을 가진 적이 있다. 그들의 친절한 가르침과 솔직한 대화에 지금도 감사하고 있다. 가정은 인격 수양의 터전이다. 다양한 가정과 부부관계, 자녀에 대한 책들도 보면서 적용하여 자신만의, 우리 가정의 화목을 위한 방법론을 정립하자.

어찌 보면 기업 운영보다 더 우선적인 과업이다.

 생각해보기

- 내 가정의 문제는 무엇이고 그것을 책, 혹은 세미나나 지인의 조언 등
으로 적극적으로 해결하려고 하는가?
- 배우자, 자녀는 내 소유물인가, 아니면 내가 존중해야 할 독립적인 인
격체들인가?

Chapter 2.
사업성공의
핵심

"단순함을 얻기란 복잡함을 얻기보다 어렵다.

무언가를 단순하게 만들기 위해서는 생각을 깔끔하게 정리해야 한다.

이 과정은 어렵지만 한번 거치면 당신은 무엇이든 할 수 있다."

— 스티브 잡스
(Apple 창업자, 스마트폰을 만든 혁신의 아이콘)

"다른 길로 가라. 사회적 통념은 무시하라.

모든 사람들이 똑같은 방법으로 일하고 있다면

정반대 방향으로 가야 틈새를 찾아낼 기회가 생긴다."

— 샘 월튼
(Wall-Mart 회장, 세계 최대의 유통업체를 일구고도
1달러도 함부로 쓰지 않은 검소한 기업인)

"덩치가 크다고 해서 항상 작은 기업을 이기는 것은 아니지만,
빠른 기업은 느린 기업을 언제나 이긴다."

– 존 챔버스
(Cisco Systems 회장, 난독증을 극복하고 인수합병으로
세계 최고의 IT 네트워크 회사를 만든 기업인)

"남들이 겁을 먹고 있을 때 욕심을 부려라.
남들이 겁을 먹고 있을 때가 욕심을 부려도 되는 때이다."

– 워렌 버핏
(버크셔헤서웨이 회장, 가치투자와 복리 증식의 대가)

실패는 있어도 실수는 없다

　필자는 스스로 저지르는 실수에 관대한 편이었다. 그리고는 같은 실수를 반복하곤 했었다. 일상생활에서도 그런 편이었지만 사업을 하면서도 그랬다. 지금 생각해보면 큰 실수만 안 하면 된다고 생각했었던 것같다. 중요하지 않은 거래처와의 약속에 10분 늦게 도착해서는 그 정도의 지각은 우리나라의 교통상황으로 봐서는 늘 있을 수 있는 일이라고 여겼다. 비중이 그리 크지 않은 물품 공급선과의 계약서 문구를 좀더 신중히 고려하지 않고 계약체결을 한 후에 후회하기도 했다. 사회에 도움이 많이 되는 비즈니스이고 사업 다각화의 하나라고 생각하고 자회사를 통해서 플랫폼 비즈니스를 시작하면서 시장의 경쟁업체에 대해 제대로 분석을 안 하고 시작하여 나중에 큰 어려움을 겪었다.

　작은 실수들이 모여서 큰 실수가 된다는 것을 몰랐다. 작은 하나하나의 실수들이 뭉쳐지고 뭉쳐져서 큰 눈덩이가 되어 나중에는 감당할 수 없는 실패로 이어진다. 그 실수들은 습관이 되어서 나중에는 저질러서는 안 되는 큰 실수를 저지르고 만다.

실패는 있을 수 있다. 내가 아무리 철저하게 준비하고 진행 과정에서 조그만 실수조차 없었어도 갑작스러운 시장환경의 변화나 주요 거래처의 변심, 혹은 도산 등으로 어쩔 수 없이 실패할 수 있다. 이런 실패를 예상해서 대안을 수립해 두는 것이다.

그러나 나의 작은 실수가 커져서 실패하는 것은 막아야 한다. 작은 실수들을 용인하기 시작하면 큰 실수를 저지르기 쉽다. 작은 실수들을 철저히 배제하면서 사업을 하면 큰 실수도 안 하게 된다. 그리고 그 작은 성공들이 모여서 큰 성공을 이루게 된다. 부분 부분의 작은 일들을 대하는 마음가짐을 바꾸기를….

비가 쏟아지는 늦은 밤에 허름한 작은 호텔을 방문한 노부부 고객에게 평소에 하던 대로 친절하게 대한 한 젊은 호텔 직원에 대한 이야기는 잘 알려져 있다. 그 직원은 객실이 차서 없다고 돌려보내지 않고 자신의 방을 내주었고 그 청년의 서비스에 감동받은 힐튼호텔 체인 소유주인 그 노부부가 자신의 호텔 체인 사장으로 청년을 전격 스카우트를 한 이야기는 작은 실수를 용인하지 않는 중요성을 잘 설명해준다. 그 청년은 단골고객이든 아니든 모든 고객들에게 실수가 없는 접객 서비스를 해왔기 때문에 성공스토리를 만든 것이다. 만약 그 청년이 평소에 고객들을 차별 대우하고 자신의 실수로 고객들을 불편하게 만드는 것을 용인하는 사람이었다면 그런 서비스를 하기 어려웠을 것이다.

가끔 성공가도를 달리는 연예인이나 사업가가 작은 실수 때문에 하루아침에 무너지는 경우를 본다. 평소에는 철저하게 자기관리를 잘하는 사람들이었는데, 그런 실수를 저질렀을까? 대개는 대수롭게 생각하지 않은 실수들 중에 하나가 터져서 그런 사태가 초래된 것이다.

장수기업들을 보면 실수에 엄격한 것을 볼 수 있다. 자신들의 브랜드에 조그만 흠집도 허용하지 않으면서 고결하고 철저하게 유지하고 있다. 설사 실수가 있더라도 곧바로 자신의 잘못을 인정하고 개선하여 고객의 신뢰를 잃어버리지 않는다. 회사를 결과와 실적으로 평가를 하지만 세세한 과정이 있기에 결과가 있는 것이다.

올바른 길에서 벗어나지 않고 한눈을 팔지 않으며 기본을 지켜가는 기업들. 실수를 철저히 거부하는 현명한 업체들이다.

 생각해보기

- 왜 소비자는 제품의 결함 등 큰 실수보다 그것을 인정하지 않고 은폐하려는 것을 더 싫어할까?
- 내가 무심코 넘기는 작은 실수들은 회사 직원이나 거래처도 보지 못하거나 그냥 무심코 넘기고 있을까?

급성장은 위험한가?

지인의 자녀 중에 갑자기 1년에 15cm 키가 커진 것을 봤는데, 짧은 시간에 너무 커서 그런지 허리가 휘어서 고생을 했다.

회사도 마찬가지다. 회사가 급성장할 때를 조심하라는 말이 있다. 가장 잘되는 순간이 가장 위험하다고도 한다. 그 성장세에 취해서 앞만 보고 달리고 좌우를 보지 않으려는 경향이 있다. 지금의 방식이 최고라는 생각으로 계속해서 같은 방식만 고집하기 쉽다. 그래서 새로운 경쟁자나 시장의 흐름을 읽어서 전략을 업데이트를 한다든지, 새로운 제품을 출시한다든지, 조직을 재정비한다든지 하는 때를 놓치고 갑자기 매출이 하락하고 위기를 맞이하는 경우를 어렵지 않게 본다.

매년 노력한 만큼 조금씩 성장했으면 계속해서 혁신하고 주의해서 시장의 흐름을 모니터링하는 것을 게을리하지 않았을 것이다. 하지만 기대 이상으로 크게 성장하는 통에 거기에 취해 주의력을 잃어버린 것이다.

그래서 장수기업들은 급성장보다 점진적인 성장을 선호한다. 점진적인 성장 속에서 시장과 흐름을 잘 볼 수 있고 리스크관리를 할 수 있기 때문이다. 하지만 초기 기업 중에는 막을 수 없는 급성장이 있고, 업력이 어느 정도 된 업체도 급성장할 때가 있다. 이럴 때에는 그 성장에 취해서 고주망태가 되면 안 된다. 그 이면(裏面)을 분석하고 평소보다 더욱 면밀한 시장과 경쟁, 흐름에 대한 분석이 필요하다. 그렇지 않으면 '삼일천하'로 급성장 후 급추락할 수 있다.

성장에는 성장통이 따른다. 조직에 인원이 많아지면 여러 가지 문제점들이 발생한다. 은행 부채도 많아질 수 있다. 창업 후 7년 이상이 되면 창업기업을 졸업하여 정부의 혜택이 줄어든다. 견제하려는 업체들이 생긴다.

기업이 성장하면 그 성장 시기에 맞추어서 해야 할 일들이 있다. 규모에 맞게 조직을 재정비하고 새로운 인사제도를 마련해야 한다. 투자 규모를 적절히 하여 역성장이 되지 않도록 해야 한다. 시장도 다변화하여 위험에 대비해야 한다. 적절한 성장곡선을 유지하도록 계속해서 노력해야 한다.

"비가 오면 우산을 쓴다"

일본에서 경영의 신으로 여겨지는 마스시타 고노스케의 말이다. 비가 그치면 우산을 접는다. 하지만 많은 기업이 이런 단순한 실행을 하지 않아 어려움에 처한다. 비가 오기 시작하는데, 우산을 펴지 않아 비를 맞고, 장대비가 오는데도 우산을 펴지 않아 흠뻑 젖는다.

오랫동안 존속하고 있는 기업들의 공통점은 '적응력'이다. 어떤 상황이 와도 회사가 거기에 적절히 반응하고, 할 것을 하고 하지 않을 것을 하지 않는 당연한 노력조차 않는 회사가 생각보다 많다. 급격한 성장에 취해서 뒤따르는 성장에 필요한 노력을 게을리하면 역성장이 온다.

 생각해보기

- 나는 회사가 점진적인 성장보다 급성장을 하기를 바라는가?
- 나와 회사는 어떤 상황에도 변화할 준비가 항상 되어있는가?
- 회사의 급성장에 대비한 시나리오를 가지고 있는가?

사장은 영업사원

　필자는 고등학교 시절 동네 친구와 새해에 복조리를 구매하여 예쁘게 리본을 매달아서 한 해의 복을 기원하는 문구를 써서 집집마다 방문하여 팔았었다. 정월 초하루부터 거절하기가 어려웠는지, 아니면 어린 학생들이 고생한다고 도와주려고 했는지, 적지 않은 복조리를 팔아서 짭짤한 용돈을 번 기억이 있다.

　대학 시절에는 학비를 댈 가정형편이 안 되어 식당, 세차장, 건설현장 등 아르바이트를 많이 했었다. 그중에 영어교재 판매를 한 적이 있었는데, 학생이 있는 가정에 전화해서 약속을 잡고 방문하여 설득하는 것이었다. 일을 시작하자 부장 직함이 있는 사람을 따라가서 옆에서 영업하는 것을 지켜봤다. 그 부장은 처음엔 부드럽게 그 집 아이에 대해서 얘기하고 교육에 대해서도 물어보며 조언도 하다가 판매하는 영어교재 얘기에 이르면 갑자기 말이 빨라지면서 교재의 필요성에 대해서 열변을 토하는 스타일이었다. 주부가 결정을 못하고 머뭇거리면 즉시 구매의 인센티브와 함께 강력한 화법으로 기어코 계약서에 서명하게 만드는 것을 보고 존경스럽게 느껴지기까지 했다.

또 한 번은 일본에서 수입한 아파트용 조립식 가구를 신축아파트에 판매하는 영업을 한 적이 있었다. 8인용 승합차에 사장, 운전기사, 그리고 3~4명의 영업사원이 동승하여 신규분양 아파트 현장에 차를 세우고 제품 카탈로그집을 가지고 집집마다 방문하여 주문을 받으면 사장이나 운전기사가 가서 시공해주었다. 그 당시에는 인터넷이 없었고 그 일본 제품이 기존에 없던 조립식 제품이라 인기가 좋아서 잘 팔렸다. 그때만 해도 경비가 삼엄하지 않아 아파트에 들어가서 어렵지 않게 영업을 할 수가 있었는데, 안전 걸쇠를 건 상태에서 안에서 잠깐 얼굴을 보일 때 재빨리 카탈로그집을 들이밀고 빠른 말로 설명을 하는 것이 중요했다.

나는 집을 방문하는 횟수가 많아지면서 자연스럽게 고객이 관심을 표할 만한 어구를 사용하고 인상을 최대한 좋게 하여 안심하고 걸쇠를 풀어 안으로 들여보내 주도록 했다. 일단 안으로 들어갈 수 있게 한 고객들은 50% 이상 주문을 했기 때문이다. 강남의 고급아파트에서도 영업한 적이 있는데, 거기는 경비가 철저하여 아파트 건물 안으로도 들어가기가 쉽지가 않았다. 하지만 일단 주문을 받으면 다른 아파트와 달리 에누리가 없었고 한 집에서 여러 가구를 주문해서 객당 주문 수량과 마진이 높았다.

한 번은 어린이 전집 문고를 판 적도 있는데, 8명이 한 팀이 되어서 숙식을 함께하면서 여러 지역을 돌며 영업했다. 그때는 국내에 프로야구 경기가 태동하던 시기라 영업할 장소를 정해서 차에다 풍선과 고무 야구방망이 등을 쌓아 놓고, 특정 프로야구단에서 창단 기념으로 무료로 기념품을 준다며 동네를 돌아다니면 동네 사람들이 우르르 차가 있는 영업장소로 몰려들었다. 풍선과 저렴한 기념품들을 나눠 주다가 팀장이 자연스럽게 아이들 교육으로 화제를 옮기면 절반은 눈치를 채고 기념품만 받고 가버리고, 나머지 주부들은 계속해서 얘기를 듣다가 결국 몇몇이 전집 문고를 구매하게 된다.

그런데 팀장의 설명이 다 끝났는데도 아무도 사는 사람이 없으면 '바람잡이' 직원이 있어서 동네 사람 중의 한 명과 함께 첫 구매를 하는 척하면 다른 사람들도 따라서 구매하곤 했다. 책 자체는 나쁘진 않았지만 지금 생각해보면 일종의 충동적 구매를 유도하는 영업방식이었다. 하지만 일사불란한 조직력의 힘을 보았고, 소비자의 관심을 끌고 프로야구 태동기의 주요한 이슈를 이용하는 등 소비자 심리를 활용하는 영업을 경험할 수 있었다.

대학교 졸업 후 직장에 들어가서는 주로 해외 영업을 했는데, 외국계 보험사에서 2년간 보험 영업을 한 경험도 있다. 대학교 동문의 소개로 하게 되었는데, 국내에서는 처음으로 대졸자들만의 영업 조직이었고 1년 정도 필드(Field) 영업을 한 후에 한 팀의 팀장이 되어서 팀원을 관리하는 시스템이라 일찍 한 조직을 관리하는 것이 마음에 들어서 시작을 했다. 보통 1년 동안 필드 영업을 하고 팀 관리자로 전환되는 코스이므로 영업사원들이 주로 지인들에게 영업을 많이 했다. 그러나 나는 처음에 아는 사람 중에 제대로 보험을 들 만한 사람이 없어서 모르는 사람들에게 영업을 하려고 시장이나 회사 사무실 등을 방문했다.

하지만 영업실적이 나오지 않자 지인들 리스트를 만들고 그중에서 그래도 가입할 수 있을 여건이 되는 사람들에게 전화를 하고 찾아갔다. 모르는 사람에게 영업을 할 때에 다수 문전 박대를 당한 경험이 있어서인지 지인들한테는 최소한 차분하게 설명을 할 수 있다는 것이 너무 편안했으며, 워낙에 가입할 지인이 풍부하지 않아서 리스트에 있는 지인은 반드시 가입시킨다는 목표를 정하고 적극적으로 달려들었다.

내가 설명을 잘했는지, 아니면 도와주려고 그랬는지 정확히 모르겠으나 첫 계약을 할 수 있었고, 몇 번 계약 성공시킨 이후에는 어떻게 계약을 성공시킬 수 있는지 감이 왔다. 그다음부터는 자신감이 생겨 가깝지 않은 사돈에 팔촌, 얼굴만 한 번 본 지인들도 추가하여 고객리스트도 점점 범위가 넓어지고 지인들의 지인까지 리스트에 올려놓고 영업을 했다.

그리고 영업의 패기가 떨어지면 다시 시장이나 회사 사무실 등을 돌아다니며 영업을 해서 얼굴에 굳은 살을 다시 붙여놓고 고객리스트에 있는 사람들을 찾아갔다. 수도권은 물론이고 부산, 광주 등 전국구로 발로 뛰는 영업을 했다. 지인이든가 혹은 지인에게 소개받아 왔으니 대부분은 시간을 내서 끝까지 내 설명을 들어주었지만, 설명을 하는 중에 상대방의 눈과 말, 행동을 통해서 어느 정도 설득을 해야 가입할지 감을 잡는 게 중요했다.

다른 말로는 촉(觸)을 잡는 것이다. 아무리 설득해도 가입하지 않을 사람, 강하게 어필해야 할 사람, 다음번에 다시 방문해서 가입시켜야 할 사람 등을 구분해서 적절히 대처했다. 아무리 설명을 잘하고 상대방이 설득되었다고 해도 마지막에 계약을 하지 못하면 말짱 도루묵이다. 마지막 클로징(Closing) 단계에서 고객이 머뭇거리면 강력한 화법으로 서명을 하도록 했다.

다음에 계약하겠다고 하는 고객이 정말 다음에 계약을 할 사람인지, 아니면 그냥 그 상황을 벗어나려고 하는지 파악하는 것은 어렵다. 그리고 다음에는 마음이 변할 수 있다. 마음이 움직이고 있는 지금 그 순간에 계약을 체결하려고 노력했다. 상대방에 따라 인센티브를 주거나 내가 오늘 계약을 해야되는 이유를 강하게 어필하면서 싸인을 받았다.

그 결과 1년 평가에서 1,000여 명 영업사원 중에 20명에게 주는 연간 MVP를 받았고 하와이에 포상휴가도 다녀왔다. 그렇게 1년 영업을 마치고 마침내 팀장이 되어서 팀원을 주로 관리했는데, 1년 동안 지인들을 중심으로 했던 계약에서 일부 해약하는 계약자가 있었다. 상품설명을 충분히 하고 개인의 상황을 파악하여 필요를 느끼게 해서 계약을 해야 하는데, 그렇게 하지 않고 도와달라고 감정에 호소한 계약이었다. 하지만 필요를 느끼게 하여 계약한 건들은 오랫동안 유지되고 소개도 받을 수 있었다. 계약도 중요하지만 어떻게 계약을 했느냐로 인해 영업의 롱런(Long Run)이 정해짐을 경험했다.

해외영업 업무는 한 소비재를 제조하는 중견업체에서 시작했는데, 그곳에서 원자재 수입업무와 일부 지역의 해외영업 업무를 하였다. 그 당시만 해도 인터넷이 없어서 이메일로 서신을 못 보내고 전화나 두루마리식 용지를 사용하는 팩스를 사용했다. 전화비도 비싸서 주로 팩스를 사용했는데, 지금 사용하는 팩스는 수초 안에 보낼 수 있지만, 그때는 한 번 보내는데 30초 이상이 걸릴 때도 있었고, 용지도 A4 용지가 아니라 둘둘 마는 얇은 종이여서 일일이 절단하고 말아 있는 부분을 펴서 보관해야 했다.

수출물품의 선적을 위한 컨테이너(Container)가 공장에 도착하면 창고를 관리하는 직원들을 돕기 위해서 달려나가 같이 상차(上車)를 했는데, 어떤 날은 여러 대의 컨테이너가 들어와서 온종일 상차만 하다가 집에 간 적도 있었다. 하지만 이 회사에서 무역실무와 더불어 해외의 거래선과 직접 교신을 하면서 수출입의 기본을 다질 수 있었다.

그 이후 몇 중소기업에서 해외영업 업무를 했는데, 인터넷의 보급으로 이메일로 서신과 자료를 보낼 수 있게 되어서 마치 날개를 단 느낌이었다. 거래선을 개척하기 위하여 주로 해외전시회에 참가했는데, 준비와 비용은 부담이 되지만 한 자리에서 많은 관련 바이어들을 만날 수 있었다. 또 전시 부스를 알차게 만들면 중소기업도 바이어들의 관심을 끌고 회사를 홍보할 수 있는 장점이 많았다.

전시회는 한 번 나가서 성과를 기대하기보다는 같은 전시회에 꾸준히 나가는 것이 중요하다. 바이어들은 작년에 나왔던 업체가 올해도 나온 것을 잘 기억하고 그 회사를 신뢰하기 때문이다. 특히, 서양의 바이어들은 꾸준히 접촉해야 신뢰를 쌓을 수 있으며 거래까지는 시간이 걸리지만 일단 거래가 시작되면 오랫동안 관계가 지속되고 결제도 상대적으로 깨끗하여 돈을 못 받아서 애를 먹지 않는다.

경험을 할수록 해외영업도 국내영업과 영업의 근본에서는 다르지 않으며 단지, 현지 국가와 문화를 이해하고 어학이 필요한 것이 다르다는 것을 느꼈다.

영어는 평생 공부해도 만족하지 못한 과목이다. 해외영업을 하면서 유창하게 영어를 잘하는 선배들이 부러웠고 국내에서 배우는 영어에 대한 한계를 느껴 과감하게 회사에 사표를 내고 1년치 학비만 들고 미국행 비행기에 몸을 실었다. 미국 뉴욕의 대학교에서 어학연수를 받으면서 생활비를 벌고자 한인 식당부터 시작하여 편의점, 슈퍼체인, 모자 제조공장, 소화기 영업도 했다. 그렇게 1년 반 동안 어학연수를 받았는데, 특히 생활비를 벌기 위해서 했던 일을 통해서 외국인과 부딪히고 생활하면서 외국인과 대화하는 것을 전혀 두려워하지 않게 된 것이 가장 큰 수확이었다.

요즘엔 해외영업을 하면서 언어 번역기도 많이 발달해 있고 통역원을 사용할 수도 있지만, 영업은 사람과 사람의 관계가 중요하다. 전화를 통해서나 만나서 깊은 관계를 맺으려면 아무래도 직접 내가 그 사람과 대화를 하는 것이 필요하다.

물론 가격과 품질 등이 기본적으로 바탕이 되어 주어야 거래가 성사되고 꾸준히 유지되지만, 사람들이 하는 일이라서 가끔 회사가 실수할 때에도 나를 봐서 넘어가고 하나라도 더 정보를 주는 경우가 있다. 경쟁업체에서 더 좋은 조건을 제시할 때에도 매정하게 거래를 끊지 않고 미리 그것을 알려주어서 우리 회사도 같은 조건을 만들도록 시간을 준다. 특히, 해외 대기업의 담당자는 서로 잘 알고 기존에 관계를 맺고 있는 업체와 계속해서 거래하기를 희망하는 경우가 많은데, 거래처를 바꾸면 상부에 보고서를 작성하는 등 그 담당자에게 많은 업무가 소요되기 때문이다.

내가 큰 다국적 기업과 거래를 개척할 때에 그 나라의 에이전트 (Agent)를 먼저 만들고 그 에이전트를 통해서 접촉하게 해서 거래를 성사시킨 적이 있다. 경쟁업체가 대기업이었으나 문의에 훨씬 빠른 대응과 지구 반대편에 있는 업체를 여러 번 방문하고 또 초대하여 좋은 관계를 맺은 것이 결정적으로 선택받은 계기가 되었다.

영업을 하는 경험이 늘어나고 나이가 들면서 성공과 실패를 반복할수록 점점 패기는 전과 같지 않다. 하지만 사명같이 주지하는 것은 '돕는다'는 마음이다. 내가 아무리 열정이 있고 영업 도구를 완벽히 구비하여도 영업 대상자에게 도움을 주지 못하는 것을 팔 수는 없다. 상대방을 돕는다는 마음이 없이 어떻게 하면 실적을 올리고 이 물건을 팔 수 있을까를 우선적으로 고민하면 억지로 상대방을 밀어붙이거나 속이려고 하기 쉽다. 그러면 내 마음도 부담되고 스트레스를 많이 받을 수밖에 없어서 오래 영업을 할 수 없다.

'어떻게 하면 상대방을 내 물건으로, 서비스로 도울 수 있나'를 고민하면 내가 가진 것과 상대방이 만족하는 공통분모를 발견하게 된다. 그러면 나 자신도 기분이 좋은 상태에서 대하게 되어 성공할 확률이 훨씬 높고 이 이후에도 그 관계를 지속할 수 있다. 그리고 몇 번 거절당했다고 포기하면 안 된다. 그 거절한 이유를 찾아 보완하면 내 제품과 서비스, 그리고 자기 자신이 업그레이드된다. 거절당했으면 '우리가 성장하는 밑거름이다'라고 생각하며 오히려 감사하는 사람이 훌륭한 영업맨이다.

영업은 머리 좋은 사람보다 인격이 좋고 끈기가 있는 사람이 더 성공하게 되는 이유가 여기에 있다. 물론, 전략을 잘 세우는 등 머리도 써야 하지만 영업맨으로서 롱런하기 위해서는 먼저 인격을 갈고닦으며 끈기를 길러야 한다.

그리고 어떤 영업이든지 거기에 맞는 특수한 메커니즘(Machanism)을 이해해서 본인에 맞게 맞춤해서 화법이나 영업과정을 설계하는 것이 중요하다. 그 특수한 메커니즘은 몇 번 영업현장을 경험하면 알 수 있는데, 고객이 상품을 사는 이유와 마지막 맺음(Closing)을 이해하는 것이다. 그리고 그 메커니즘 위에 저마다의 특성이 있으므로 자신에게 맞는 방식을 혼합하여 매뉴얼을 만드는 것이다. 나만의 매뉴얼이 완성되면 비로소 성과에 탄력이 붙고 재미있는 영업이 된다.

영업맨들을 그동안 지켜보니 영업을 잘하는 사람은 외향적인 사람, 내향적인 사람과 같이 특정 성격이 있는 것이 아님을 본다. 내성적인 사람도 자신을 잘 훈련하면 오히려 더 신뢰감을 주어서 실적이 좋은 경우도 많이 본다. 특정 성향을 정해 놓고 나를 바꾼다는 것은 한계가 있으며 오래 유지하기가 힘들다. 본인 성향의 장점을 더욱 갈고 닦는 것이 더 좋다.

나도 보완하기 위해서 많은 노력을 했으나 내향성이 더 많고 언변도 좋은 편이 아니다. 하지만 다른 사람들보다 성과가 좋은 것은 나의 장점을 최대한 살려서이다. 말을 유창하게 하는 것을 보여주기보다 좀 더듬더라도 진실된 사람이라는 것이 드러나면 더 사람들의 신뢰를 얻는다. 반대로 말을 잘하는 사람은 세련되고 감성적인 화법을 더 다듬어서 안정감 속에 고객의 신뢰를 얻을 수 있다.

지인 중에 일본에서 음향기기를 수입하다가 IMF 구제금융으로 인해 환율이 치솟아서 큰 손해를 본 사장이 있었다. 이전에는 수입하면 수억 원의 수익이 보장되었었는데, 외환위기로 인해 오히려 수억 원의 사채를 빚지고 사채업자에게 시달렸다. 그래서 유효기간이 지난 화장품을 9인승 차에 싣고 지방을 다니면서 팔아 이자를 겨우 내곤 했다. 그런데 지금도 그렇지만 그때만 해도 사채 이자율이 상상을 초월했기에 매월 천만 원에 가까운 이자만 냈고 원금상환은 못하고 있었다. 이자를 못 내는 달에는 사채업자가 칼을 목에 대고 협박을 하기도 했단다. 그러다가 잠시 입사한 회사에서 기획한 제품이 대박이 나고 회사의 허락으로 판매 로열티를 회사에 주는 조건으로 회사를 나와 독립해서 짧은 시간에 빚을 다 갚고 재기를 했다.

　그 사장과는 대학 시절 같이 일본 가구 판매 아르바이트를 하기도 했는데, 항상 밝고 적극적인 면이 있어서 '사업가로 성공을 하겠구나' 하고 생각했었다. 재기 후 같이 택시를 탄 적이 있었는데, 택시기사에게 본인이 개발한 자동차용품 영업을 자연스럽게 하는 것을 보고 영업이 생활화되어 있음을 느꼈었다. 나와 오랜만에 만나 얘기하는 와중에도 영업을 즐기고 있었고, 좋은 제품을 더 많은 사람에게 소개하여 혜택을 준다는 마음이 느껴졌다. 나에게도 연신 제품 소개가 재미있다는 말을 했었다.

　사업에서는 모든 분야가 다 중요하다. 하지만 가장 중요한 분야를 묻는다면 영업이라고 말하겠다. 영업이 마케팅의 한 부분으로 들어가기 때문에 마케팅이라고 해도 무방하겠다. 아무리 제품을 잘 만들고 자금이 넉넉해도 제품이 팔리지 않으면 무용지물이다. 회사에 매출이 있어야 거기서 수익도 생기고 회사를 꾸려나갈 수 있는 것이다. 어떤 회사는 전 사원의 영업 사원화를 기치로 내세우기도 한다. 모든 사원이 영업마인드로 무장을 해야 한다는 것이다. 다른 말로 하면 모든 기획, 관리, 개발, 인사, 생산 등의 업무가 고객을 위한 것에 초점이 맞추어져야 한다는 것이다. 어떤 분야의 영업이든지 가장 중요한 것은 열정과 신뢰이다. 어떤 스타일의 영업맨이든지 이 둘 중 어느 하나라도 무시하고는 영업을 논할 수 없다.

 생각해보기

– 우리 회사는 모든 부서와 구성원이 고객을 향하고 있는가?
– 나는 사장이자 영업사원인가? 아니면 관리자인가?
– 우리 회사는 사명(목적), 회사명, 로고, 슬로건, 제품, 가격, 광고, 유통 등 모든 것이 일관되고 통합되어 있어 분명한 메시지와 정체성을 고객에게 주고 있는가?

‖—‖
협상은 Win-Win

    미국 라스베이거스에서 매년 열리는 CES(세계가전전시회)는 가장 영향력이 큰 전시회 중의 하나로 가전을 비롯한 대부분의 소비재 제품이 전시된다. 나는 적잖게 이 전시회에 참여했는데, 갈 때마다 호텔 로비에 있는 카지노에서 딜러와 대결하는 블랙잭이나 참가자들끼리 대결하는 7포커 게임을 한다. 돈을 많이 따면야 좋겠지만 사실 여러 나라 사람들과 어울리며 확률과 심리게임을 하는 자체가 더 흥미있다.

    7포커는 특히 심리대결의 묘미를 느낄 수 있다. 나는 시행착오를 거치며 정한 나만의 룰로 잃을 수 있는 최대한도를 정해 놓고 게임에 참여하기에 큰돈을 잃지 않고 재미있는 경험만 가지고 나올 수 있었다. 가끔은 놀라울 정도로 상대의 카드를 읽는 능력이 뛰어나고 포커페이스인 인물을 만나면 일찍 기권하여 그의 활약상을 그냥 지켜본다. 배팅할 때는 과감하게 하고 좋지 않은 패에도 끝까지 가서 결국 상대를 굴복시키기도 하고 때로는 아주 좋은 패로 승리하기도 한다. 그러면서도 얼굴 표정과 몸짓에서 실마리를 찾을 수 없는 인물이 등장하면 그 자리는 종을 치는 거다.

협상은 사실 포커판보다는 조금 수월하다. 서로가 만족할 만한 지점을 찾으면 웃으며 악수하고 헤어질 수가 있다. 포커판처럼 한쪽만 웃지 않는다. 협상의 기본적인 자세는 윈-윈(Win-Win)이다. 내 이익만 내세우고 끝까지 양보하지 않으려는 것은 프로페셔널이 아니라 아마추어다.

필자는 직장생활을 할 때 통역 역할을 맡아 회사 임원과 함께 인도의 원재료 공급선과 가격 때문에 지루하고 긴 시간을 무더운 협상장에서 보낸 경험이 있다. 내가 보기에 그 공급회사가 최종적으로 제시한 가격이 만족할 만한 수준이었는데도 그 임원은 물러서지 않고 끝까지 자신이 목표로 하는 가격만 밀어붙이려고 하여 협상장의 분위기는 매우 무거웠다. 결국은 조금 더 가격을 인하해서 협상을 종료할 수 있었으나 악수를 하는 상대방의 얼굴이 결코 밝지 못했다. 그리고 이후에 공급가격에 불만이 있어서 그랬는지는 모르겠으나 납기를 비롯한 여러 문제로 회사를 괴롭혔다. 협상 시 두 시간에 걸쳐 밀어붙여서 얻은 작은 이익은 내 회사에 계속해서 협조할 파트너를 만드는 것에 비교하면 보잘것없는 것이었다.

협상을 하기 전에는 당연한 말이지만 준비가 필요하다. 상대방의 현황을 잘 파악하여 어떤 지점이 상대방이 더 이상 물러설 수 없는 최후의 보루인지 알아두어야 한다. 그리고 나의 최후의 보루도 정해야 한다.

협상 테이블에서 벌어진 일은 아니지만, 옛 소련이 쿠바에 핵미사일 기지를 건설하려고 하는 등 핵전쟁 위기가 있었는데, 미국은 강력하게 핵공격 맞대응을 언급하여 소련의 계획 철수를 이끌어 낸 적이 있다. 이때 소련도 굴하지 않고 강경하게 나오며 미사일 기지를 건설했더라면 핵전쟁이 일어날 수도 있었을 것이다. 그러나 미국에서는 소련의 핵 수준과 능력에 대해서 소련에 있는 고위직 스파이를 통해 정확히 파악하고 있었기 때문에 강경하게 나오지 않을 것을 미리 알고 그렇게 한 것이었다.

또한 협상 시에는 보여줄 카드를 몇 개 준비해서 카드 A와 함께 B, C도 생각해 두어야 한다. A는 최초에 제시할 카드이고 B, C 순으로 상대방의 수락 여부에 따라서 제시할 카드들이다. 카드 A는 내가 만족할 만한 수준보다 조금 더 좋은 카드로 선정하는 것이 좋다. 하지만 상대방이 느끼기에 너무 이쪽의 이익만 생각하는 카드여서는 처음부터 좋지 않은 인상을 줄 수가 있고, 상대방의 유연한 협상 자세를 해치면서 협상이 진행될 수 있다. 사전에 상대방에 대한 세심한 파악이 필요한 이유이다. 그리고 그 카드를 제시하는 이유에 대해서 상대방이 수긍을 할 수 있는 논리적인 근거가 있어야 한다. 통계나 경쟁사, 시장에 대한 근거 자료를 보여주는 것이 기본이다. 만일 상대방이 내가 제시한 카드를 수락하지 않으면 근거 있는 이유를 제시할 것을 요청해야 한다. 그리고 그 근거가 빈약하지 않고 타당하다면 내가 내민 카드를 다시 생각해봐야 한다.

카드 B는 최선은 아니지만 어느 정도 만족할 만한 수준이기에 보통은 카드 B에서 협상이 종료된다. 하지만 최후의 보루인 카드 C까지 가는 경우도 있다. 어떤 때는 C보다 낮은 수준을 요청받을 경우도 있다. 하지만 내가 제시한 카드의 논리적 근거가 분명하고 상대방에 대한 조사가 잘 되어있으면 이것이 타당하지 않다고 반박할 수 있다.

하지만 준비가 빈약하면 이럴 때 상대방에 끌려가서 결국 최악의 계약서에 서명을 한다. Win-Win은 서로가 만족할 수준에서 타결하는 것이지 상대방에게 내가 사로잡히는 것이 아니다. 내가 을, 즉 상대방이 나의 고객이라도 당당하게 타당한 근거에서 협상을 진행해야 한다.

사실 갑·을 관계 자체가 왜곡되어 위·아래로 생각되는 관행은 고쳐져야 한다. 셀러(Seller)는 바이어(Buyer)의 이익과 편의를 위해서 최선을 다해야 하지만, 그렇다고 하급자는 아니다. 때로는 종이나 죄인같이 자기를 낮추기도 하고 낮추어야 할 상황도 발생할 수 있다. 하지만 나의 제품과 서비스를 고도화시키고 공급과정에 문제가 없고 매끄럽게 하여 고객이 나를 평등한 파트너로 삼게 해야 한다.

처음 관계를 맺게 되는 자리에서는 앞으로 좋은 제품을 문제없이 제공하여 상대방의 이익을 위해서 최선을 다한다는 마음가짐이 있으면 그렇게 저자세로 나가지 않아도 될 것이다. 협상 상대방이 고압적이고 유연성이 부족하며 나를 파트너로서 인정하기보다 하급자로 대한다면 그 협상을 재고하는 것도 필요하다. 나중에 그런 자세가 지속되어 무리한 요구를 하거나 갑자기 나를 버릴 확률이 높기 때문이다.

만일 내가 바이어라면, 공급선을 파트너로 인정해주고 좋은 인상을 주면서도 계약 내용은 분명하게 짚고 넘어갈 때 상대도 나를 만만히 여기지 않으면서 장기적으로 신뢰할 만한 업체로 여기게 되어 좀 더 유리한 협상을 할 수 있다.

어차피 협상은 어떤 일을 진행하기 위한 관문을 통과하는 과정이기 때문에 될 수 있는 한 서로 웃으면서 좋은 분위기 속에 하는 것이 좋고, 그 과정 속에서 더욱 친밀한 관계를 맺는 것이 필요하다. 그러려면 철저한 사전준비와 시나리오에 입각한 나의 대응 방안과 더불어 상대를 배려하는 마음과 파트너십이 겸비되어야 한다.

 생각해보기

- 협상 시 승리하려고 하는가? 아니면 서로 승리자가 되는 지점을 모색하는가?
- 나는 협상 시 상대방이 가지고 나오는 패를 어느정도 알고 있는가?
- 협상 시 유리한 위치를 점하기 위해서 우리 회사는 평소에 어떤 노력을 하는가?

나무와 숲, 무엇이 중헌디?

나무는 보고 숲을 보지 못해서는 안 된다고 한다. 세부적인 것에 너무 연연하면 전체적인 시각을 갖지 못해서 잘못된 방향으로 나갈 수 있다는 것을 경고하는 말이다.

하지만 숲을 보고 나무를 보지 못해서도 안 된다. 옳은 방향이더라도 세세한 부분을 소홀히 해서는 안 된다. 그런데 숲과 나무 중 무엇이 우선일까? 숲을 먼저 보고 나무를 보는 것이 자연스럽게 보인다. 산꼭대기에서 전체적인 숲을 살피고 어떤 나무를 세세하게 볼 것인지를 결정하는 것이 순서인 것 같다. 전체적인 시각을 잃어버리면 엉뚱한 곳에서 시간을 낭비할 수 있다. 열심히 노력하고 철저히 실천했는데, 나중에 전체를 바라보니 그렇게 할 필요가 없는 경우에 얼마나 허탈할 것인가.

그렇지만 사업의 세계에서는 숲과 나무를 동시에 보는 것이 필요하다. 전체적인 시각에서 숲을 바라볼 때도 세세한 면이 필요하다. 대충 바라보고 방향을 결정하면 잘못된 길로 갈 수 있다. 사업에서 방향을 결정할 때도 철저한 조사와 분석이 필요하다. 시간과 노력을 헛되이 소모하지 않기 위해서다. 제대로 방향을 잡았으면 세부적인 계획을 세우고 진행하되, 역시 제대로 시행해야 한다. 그리고 다시 시행한 것을 전체적인 시각에서 바라보며 옳은 방향으로 가고 있는지 확인하는 것이 필요하다. 환경의 변화에 따라서 옳았었던 방향이 그른 방향으로 바뀔 수도 있기 때문이다. 그리고 더 좋은 방향이 나타날 수 있을 것이다.

나무에 대한, 즉 세세한 면에 대한 것은 자칫 소홀할 수가 있다. 그러나 많은 기업들이 세세한 부분을 경시하여 무너진다. 마케팅에 많은 돈을 써서 회사의 이미지를 구축하지만 작은 잘못으로 브랜드 가치에 치명적인 오점을 남기게 된다. 정확히 말하면 그런 작은 잘못 하나 때문이라기보다 회사의 시스템이 그것을 용인하고 대수롭게 생각하지 않기 때문이고, 실수를 했을 때 즉시 그것을 드러내서 시정하기보다 덮고 묻으려는 문화가 자리 잡았기 때문이다.

수십 년간 흔들리지 않고 성장하는 세계적인 프랜차이즈 업체들의 매뉴얼을 보면 세세한 부분까지 명문화되어 있으며, 교육·피드백·재교육을 철저하게 실천하고 있다. 요식업 프랜차이즈 업체의 매뉴얼에는 고객 응대는 이러이러하고 조리사의 복장, 제품에 들어가는 재료의 상세한 기준, 조리 시간, 청소 등 발생할 수 있는 모든 것이 명문화되어 있다. 그래서 초보자도 그 매뉴얼에 따라서 하면 능숙함의 차이는 있지만, 제품과 서비스의 질은 숙련된 직원과 차이가 없도록 되어 있다. 그리고 반복적인 교육으로 매뉴얼이 체득되도록 각 직책에 따라서 교육시간을 정해 놓고 철저히 이행시키고 있다. 무엇 하나를 느슨하게 하고 소홀히 하면 각 지점 간, 직원 간에 차이가 발생하고 그것은 그동안 구축해온 브랜드에 크나큰 타격을 줄 수 있다는 것을 잘 알고 있기에 무엇 하나도 소홀히 하지 않는 것이다. 오래 근무하지 않았어도 그 매뉴얼을 잘 숙지한 직원은 물이 흐르듯 척척 일을 처리하며 어떠한 상황이 와도 당황하지 않고 대처한다. 모든 상황이 매뉴얼에 있기 때문이다. 매뉴얼은 곧 회사의 문화이고 교육은 그 문화를 철저히 지키도록 하는 것이다.

숲을 보지 못해서 무너진 회사도 많이 있다. 경쟁사들의 동향을 주시하지 않다가 새로운 경쟁자를 보지 못해 하루아침에 문을 닫은 경우도 허다하다. 신기술의 출현을 보지 못하여 자신들의 기술이 갑자기 구식이 되어 큰 어려움에 처하기도 하며, 정부의 정책 변화를 감지하지 못하여 낙동강 오리알 신세가 되어 버린 회사들이 있다. 노키아(Nokia), 코닥(Kodak) 등의 사례를 반면교사로 삼아야 한다. 또한, 세계적 금융위기에 둔감하여 외환과 부채 등으로 큰 위기를 맞은 IMF 금융위기 당시, 우리나라의 많은 회사들의 사례도 있다.

회사의 올바른 방향성은 시행착오를 줄이고 조직이 낭떠러지를 향해 가는 것을 막는다. 가파른 산을 멀리서 바라보면 급경사로 되어있어 "억" 소리가 나지만, 막상 가까이 다가가면 발밑의 땅은 내 발이 디딜 수 있는 완만한 경사이며, 한 발 한 발 조심스럽게 옮기다 보면 결국 정상에 다다른다.

숲과 나무, 어느 하나도 소홀할 수 없다.

 생각해보기

– 숲과 나무 중 무엇에 치우쳐 있는가? 혹은 무엇을 경시하고 있는가?

ᆌ—ᆌ
5,127

1993년 영국의 제임스 다이슨이라는 디자이너가 집에서 사용하는 진공청소기를 사용하다가 흡인력이 점점 떨어지는 원인이 먼지봉투라는 것을 알고 이것을 개선하기로 결심했다. 우연히 제재소에서 공기회전을 이용해 공기와 톱밥을 분리하는 '사이클론(Cyclon)' 방식을 발견하고 1974년부터 1984년까지 10여 년간 무려 5,127개의 시제품을 만들면서 결국 먼지봉투 없는 진공청소기를 세계 최초로 발명했다. 그는 공학을 전공한 엔지니어가 아닌데도 디자이너로서 엔지니어링을 공부해가며 신제품을 개발했다. 1년에 500여 개의 시제품을 제작했다는 것인데, 이는 10년간 하루에 1개 이상의 시제품을 만든 셈이 된다. 3D 프린터기가 있었던 것도 아닌 그 당시에 매일 새 시제품을 만들다시피 한 열정과 끈기에 감동을 넘어 경이감을 느낀다.

요즘에는 시제품 개발 시 설계기술도 많이 발전했고 제작기술도 발전하여 시제품 제작기간이 많이 단축되었다. 특히 3D 프린터의 등장으로 제작기간이 획기적으로 단축되어 하루 만에 설계와 제품 제작이 가능하게 되었다. 그러나 제임스 다이슨이 진공청소기를 개발하던 때에는 상당한 시간이 소요되었다.

다이슨이 발명한 사이클론 방식의 진공청소기는 18개월 만에 영국 진공청소기 판매 1위를 차지한다. 이후에 날개 없는 선풍기, 소음이 없는 헤어드라이어 등 혁신적인 제품을 연달아 히트시키면서 세계적인 회사를 일구었다.

2018년 다이슨의 매출은 5조 원이 넘는다. 12,000명의 직원을 둔 대기업을 일군 제임스 다이슨은 2019년 140억 달러의 재산으로 영국 1위 부호로 등극하였다. 다이슨이라는 회사가 대단한 것은 소수의 혁신적인 가전제품만으로 글로벌대기업으로 성장했다는 것이다. 현재 다이슨에서 판매하고 있는 제품은 진공청소기 6모델을 비롯해서 공기청정기 3모델, 선풍기 4모델, 가습기 1모델, 헤어드라이어 1모델, 헤어스타일러 1모델, 조명 스탠드 1모델 등 유사한 규모의 글로벌대기업과 비교하여 턱없이 제품군이 적고 소형 가전제품만으로 특화되어있다.

보통의 경우를 보면 많이 잡아야 매출 몇천억 원대의 중견기업 정도의 제품 구색이다. 다이슨이 급성장하게 된 비결 중의 하나는 고가 정책인데, 높은 수익률이 제품 개발의 재투자로 이어져서 계속해서 세계적인 히트상품을 출시한 것이다. 다이슨의 영업이익률은 40%

가 넘는다. 그리고 다른 기업보다 훨씬 많은 금액을 제품개발에 투자한다.

2017년에 다이슨은 1조 원의 매출을 올렸는데, 제임스 다이슨은 그전까지 약 3조 원 이상을 제품 개발을 위해서 투자했다고 말했다. 그리고 자신은 개발에만 전념하기 위해 CEO 자리에서까지 물러났다. 그는 다이슨 재단을 설립하여 대학교에 엔지니어링 센터 2곳을 만드는 등 후배를 양성하는 일에도 투자를 아끼지 않고 있다. 직원의 30% 이상이 엔지니어이고 이들의 평균 연령은 26세로 대학교를 갓 졸업한 인재를 많이 채용하는데, 이는 젊은 신입사원들의 신선한 아이디어를 중시하기 때문이다.

나도 경력이 없는 신입사원 채용에 장점이 많다고 생각한다. 회사에 대해, 일에 대해 선입관이 없기에 회사의 가치관과 업무 흐름을 가감없이 잘 따라주어 1년 정도 지난 후에는 경력사원보다 더 훌륭한 업무 성과를 내기도 하기 때문이다. 신규제품 아이디어 회의 때에도 실패와 성공의 경험이 없기에 긍정적인 마인드로 적극적으로 많은 아이디어를 낸다.

필자가 직장에 다닐 때, 제품 개발 아이디어를 얻기 위해 재일교포인 소프트뱅크(Softbank Corp.)의 손정의 회장의 방법을 썼던 적이 있었다. 그는 대학 시절, 두꺼운 메모지에 무작위로 한 페이지에 한 단어씩 전 페이지를 다 채우고 매일 아침에 무작위로 세 단어를 찾아서 조합하여 하루에 하나씩 제품을 개발했다. 이 방법을 통해서 탄생한 것이 자동 통역기로 일본의 샤프(Sharp)사에 권리를 넘기고 10억 원을 받아 사업밑천을 마련한 것은 유명한 일화다.

나는 이 방법으로 정말 하루에 하나씩 새로운 제품 아이디어를 찾았으나 아이디어를 지속적으로 개선하여 완성된 제품을 만드는 데에는 인내심이 더 많이 필요함을 느꼈다. 새로운 혁신이란 불현듯 떠오르는 아이디어를 붙잡고 계속해서 개선해 나가는 인고의 과정이 필요하다고 생각한다.

혁신은 평소에 하는 것이지 회사가 위기를 맞아서 시작해서는 늦을 수 있다. 일반 사람들도 마찬가지이지만 회사의 운명을 짊어진 사장은 상식과 당연하다고 생각하는 것들에 반드시 의문을 제기해야 한다. 혁신은 의문에서 시작되기 때문이다. 우리가 아무 생각 없이 사용하고 있는 제품들, 서비스들의 끝은 마침표가 아니다. 누군가에 의해서 계속해서 개선되어가고 있다. 그 속에서 스타트업이 탄생하고 세계적인 기업이 배출된다.

사장은 평소에 자신과 직원들이 혁신적인 생각과 행동을 하도록 독려하며 생활의 일부로 체질화하도록 시스템을 정비해야 한다.

독일의 헤르만 지몬은 그의 책 《히든 챔피언(Hidden Champoin)》에서 세계시장 점유율 1, 2위이면서 매출액 8억 유로 이하이고 잘 알려지지 않은 기업을 '히든 챔피언'이라고 부른다. 독일은 이들 기업이

2020년 기준 약 1,500개가 있으며 다수가 주식 상장을 하지 않은 상태다. 이들은 부품·중간재를 생산하며 B2B 사업을 하기 때문에 잘 알려지지 않았지만, 평균 매출성장률이 일반기업의 3배가 되고 많은 특허를 보유한 기술집약 혁신기업들이다. 또한 틈새시장에서 독자적인 전문화를 이루었으며 작지만 일찍부터 세계시장에 진출하여 글로벌 문화를 받아들이는 능력이 뛰어나다. 독일이 제조 강국이 된 것은 작은 나사못에서부터 큰 선박 엔진에 이르기까지 한 분야를 지속적으로 혁신하여 세계시장을 선도하는 중소기업이 많은 덕택이다.

우리나라도 '강소기업'이라는 타이틀을 지닌 우수한 기업들이 많이 있고 글로벌 선도 기업들도 적지 않다. 하지만 2019년 기준 세계시장 점유율 1위 품목은 69개로 독일의 654개에 비하여 1/10에 불과하다. 중국은 최근 급격히 1위 품목이 늘면서 1,759개를 가지고 있어 세계 1위를 달리고 있으며, 일본도 156개로 우리보다 두 배가 넘는다.

세계시장 점유율 1위라는 것은 해당 제품에 있어서는 가장 인지도가 있고, 가장 경쟁력이 뛰어나며, 가장 기술적인 노하우가 크다는 의미이다. 따라서 고객들이 가장 먼저 떠올리는 회사가 되어 장기적으로 안정된 사업을 영위할 수 있는 근거가 된다. 우리나라도 주로 일본에서 수입해 오던 부품·중간재를 국산화를 하여 국내 시장을 선도하고 세계시장에 진출한 기업들이 많이 있다.

이렇게 한 분야에 집중하여 혁신을 거듭한 기업들은 누구나 쉽게 넘볼 수 없는 기술력으로 안정된 성장을 했다. 그리고 거기에 머무르지 않고 더욱 기술혁신에 매진하여 결국 세계시장에서 선도적인 기업이 되었다. 이 기업들을 이끈 것은 대단한 아이디어보다는 '대단한 끈기'다.

 생각해보기

- 다이슨이 발명한 날개 없는 선풍기를 처음 보았을 때, 놀람과 더불어 그 원리에 대해서 분석을 해보았는가?
- 우리 회사의 제품이나 내부 시스템, 마케팅 등은 더 개선할 여지가 없는가?
- 회사는 혁신적인 제품, 비즈니스 모델을 위한 아이디어를 주기적으로 도출하는 노력을 하고 그 자료를 분류, 보관, 활용하여 지적재산권을 증가시키고 있는가?
- 내 제품의 목표는 어디까지인가? 국내시장 1위인가, 아니면 세계시장 1위인가

사업에는 철학이 있어야 한다.

　김 모 사장은 비전을 가장 중요하게 생각하고 있다. 그는 대학을 졸업하고 직장에 다닐 때부터 사업에 대한 비전을 가지고 있었고, 30대 중반에 다른 2명과 함께 소프트웨어 회사를 창업하였다. 한 차례의 공동창업에 따르는 홍역을 치르면서 1명이 정리가 되고, 2명의 공동창업 회사로 출발하였다.

　그는 회사의 비전을 가장 중시하여 많은 시간 동업자와 초기 직원과 함께 비전 세우기를 통해 회사의 비전을 명문화하고 그것에 따라 회사를 운영하고자 노력하고 있다. 그 비전에는 회사의 존재 목적인 사명과 장기적 목표, 실천 사항이 들어 있다. 사명에는 사회와 직원을 위한 고결한 방침이 적혀있다.

　확고한 비전 덕분인지 회사는 성장하여 여러 중견기업체와 거래를 하게 되고, 5년이 지나서는 해외 업체들과도 거래하며, 두 개의 해외 현지법인도 설립하게 되었다. 8년차인 현재는 30여 명의 직원을 두어 소프트웨어 회사로서는 적지 않은 인원을 갖춘 업체로 성장했고, 최근에는 대기업과 신제품 개발을 함께 하고 있다.

그는 회사의 방향이 되는 비전을 동업자는 물론이고 전 직원과 함께 고민하며 세우고 항상 회사가 그 방향대로 가는지 모니터링을 하고 있다. 올해 말에는 사업환경이 많이 바뀌어서 향후 5년의 비전을 새롭게 세우겠다고 다시금 고심하고 있다.

오 모 사장은 전자부품을 제조하는 회사 창업 시 혼자 사훈을 만들어 벽에 걸어놓고는 처음엔 회사에 출근하면서 한 번씩 쳐다보다가 몇 개월이 지나지 않아 자신도 정확히 무엇을 적었는지조차 잊어버렸고 직원들도 사훈이 벽에 걸려있는 것은 알겠으나 한 번도 그 뜻에 대해서 들어본 일이 없다. 사장이 사훈에 대해서 얘기한 적이 없으니 직원들은 그냥 '폼으로 걸어놨구나'하고 생각하게 된다. 그리고 그 사훈은 정말 폼만 있게 되었다.

회사는 처음부터 해외전시회에 나가서 운 좋게도 해외의 큰 회사와 거래를 하게 되었고 환율도 좋아져서 많은 돈을 벌었다. 가족 위주의 경영으로 주요 직책을 형제, 친척이 가지고 있어서 가족의 끈끈한 정으로 운영하니 큰 문제 없이 10여 년간을 운영하게 되었다. 그러나 해외의 소수 큰 거래선 위주의 경영에 머물고 있고 우수한 인재를 확보하는 일에 소홀히 한 것이 문제였다. 인사이동을 통해서 적정한 인물을 적합한 자리에 앉히고 상벌을 분명히 해서 예측가능하고 절도 있는 회사를 만드는 것에 실패한 것이다.

처음에 호경기를 맞아 매출이 상승하고 회사가 잘 굴러갈 때는 가족끼리 손발이 잘 맞아서 문제가 없었으나 직원이 늘고 체계 있는 관리가 필요할 때 문제가 불거졌다. 주요 직책에 있는 가족들의 확고한 위치와 변화하지 않으려는 마음이 다른 직원들과 잘 융화하지 못한 것이다. 무엇보다 방향이 되는 사명과 비전의 부재로 오합지졸 같은 조직이 되고 말았다. 결국 신규 거래처를 개척하지 못하고 해외의 큰 거래처를 잃으면서 계속해서 매출이 줄고, 급기야 도산하고 말았다. 먼지만 쌓여있었던 그 사훈은 그 회사와 함께 없어지는 운명을 맞았다.

방향 없이 물결이 치는 데로 흘러가는 돛단배 회사들이 많이 있다. 창업을 한 이유가 없고 목적이 없다. 그러니 무엇을 중요하게 여기며 우선순위를 어떻게 두어야 하는지 항상 고민하게 된다. 한 번만 진지하게 시간을 내서 고민하여 방향을 정해 놓으면 되는데, 문제가 생길 때마다 우왕좌왕하면서 계속 고민을 한다. 직원들은 선장만 바라보는데 선장도 애초에 분명한 주관과 공유된 약속이 없으니 일관성이 없는 지시만 한다. 배가 암초에 걸려 물이 새는데 서로 쉬쉬하고 다른 사람들만 쳐다본다.

사명과 비전만 세운다고 다가 아니다. 위의 두 사장의 예에서 보듯 사장과 임직원 모두가 함께 동일하게 그것을 머릿속에 새기고 모든 행동의 지침으로 삼아야 한다. 사업에는 철학이 있어야 한다. 다른 말로는 사명이라고도 한다. 왜 사업을 하는지에 대한 답이 있다는 것은 중요하다. 우리가 마트에 갈 때는 목적이 있다. 주로 물건을 사러 가는 것이다. 간단하게 설명하기 위해 과일을 사러 간다고 생각해 보자. 마트에 가는 목적은 과일을 사는 것이다. 그럼 과일은 왜 사는 가? 먹기 위해서 산다. 왜 먹는가? 건강하기 위해서. 왜 건강하려 하는가? 건강으로 인생을 풍요롭게 하기 위해서다. '인생을 풍요롭게 하기 위함'이 바로 사명이라고 할 수 있겠다.

　철학이 있는 회사는 어려움에 처해도 방향성을 잃어버리지 않는다. 금방 좌절하지 않는다. 어려움을 극복하고 헤쳐나갈 신명나는 사명이 있기 때문이다. 회사는 왜 설립했는가? 이 사업은 왜 하는 것인가? 사명은 궁극적인 가치를 지향한다. 단순히 돈을 많이 벌고 싶어서나, 큰 요트를 사서 여행을 하려고, 혹은 가족의 생계를 위해서 등도 하나의 가치가 될 수 있지만, 궁극적 가치는 아니다. 사업을 통해 내가 사회에 어떤 혜택을 줄 것인가? 인류에 어떤 공헌을 할 것인가? 종업원이나 거래처에 어떤 혜택을 줄 것인가? 고귀한 가치는 기업을 위대하게 하며 위대한 기업의 직원들은 가슴설레는 철학을 마음에 새기고 일사불란한 조직이 되어 단단한 함선같이 파도를 헤쳐나간다.
　필자 역시 처음 두 번의 사업에서는 목표만 있었지 명문화된 목적과 사명이 없었다. 그러다 보니 그때그때 닥친 일, 바이어 상대하는 업무처리에 급급했고, 욕심나는 대로, 다른 사람들이 말하는 대로 가다가 방향을 잃고 말았다.
　세 번째 창업 때에는 목적과 사명을 명문화했지만 절실하게 그 사명을 위해서 달리지 못했다. 그러다 보니 닥친 어려움을 극복하지 못하고 '작전상'이라는 위로의 말로 사업을 접었었다. 하지만 지금 생각해보면 정말 그 사명이 내 가슴에 불을 밝혀서 활활 타올랐는지 반성하게 된다.

나이키는 'Just do it'이라는 슬로건으로 끊임없이 재도전하는 사명을 가지고 기존의 행동 없는 생각의 함정 속에 빠져있던 위기를 극복하고 계속되는 실천적 도전을 통해 수년 만에 업계 선두기업 아디다스의 아성을 넘어섰다. 애플의 스티브 잡스는 "내 열정의 대상은 사람들이 동기에 충만해 위대한 제품을 만드는 영속적인 회사를 구축하는 것이다"라고 하며 지속적 혁신을 통한 세상을 바꾸는 사명을 가지고 일하며 세상을 바꾸는 제품을 만들었다. 알리바바는 '천하에 하기 어려운 사업이 없게 하는 것'이라는 사명을 가지고 중소기업들의 도우미 역할을 하는 마켓플레이스 알리바바(www.alibaba.com)를 만들어 수많은 기업들이 마음껏 자신의 제품을 선보일 수 있는 플랫폼으로 성장시켜 미국 나스닥에 상장시켰다. 녹십자는 '위대한 헌신과 도전을 통해 위대한 회사로 도약'한다는 사명을 가지고 끊임없이 국민의 건강을 위한 약의 개발과 제조를 통해 사회에 공헌하고 있다. 월마트는 '평범한 사람들도 부자들이 사는 물건을 사도록 한다'라는 사명을 가지고 좋은 제품을 최대한 저렴하게 팔아서 누구나 좋은 물건을 소유하도록 해오면서 유통업계의 선두를 달려왔다.

대개 창업 시 사업계획서를 작성하는데, 창업목표 위에 사명을 넣어보도록 하자. 사명은 밤하늘에 가장 크게 반짝이는 북극성과 같이 움직이지 않고 회사라는 배의 돛대가 되어 방향을 잃어버리지 않게 해준다. 위에 언급한 업체들의 사명을 보면 각자의 창업 철학이 차별적이고 독특하게 나타나 있다. 경영자와 직원들의 가슴속에 활활 타오르는 사명의 횃불을 간직한 회사는 계속해서 앞으로 나가는 추진력을 가지게 되고 장애물을 이겨나간다. 한 번 세운 목표는 시간이 지나면서 시장환경의 변화와 기업의 상황에 따라 새로운 목표로 바뀌기도 하지만, 사명은 꿋꿋하게 그 자리를 지키며 회사의 앞길에 등불을 밝힌다.

사장으로서 아침에 출근 전이나 회사에서 일을 시작하기 전에 회사의 사명을 묵도하는 시간을 가져보자. 이미 그 목적과 사명을 달성하고 있는 자신과 회사를 상상하고 그렇게 된 회사를 운영하듯이 매사에 임하는 것도 좋은 방법이다. 직원들에게 자주 사명에 대해 말하고 공유해서 가슴속의 불이 꺼지지 않도록 하자.

 생각해보기

- 우리 회사의 사명은 무엇이며 직원들과 주기적으로 공유하고 있는가?
- 그 사명이 내 가슴을 불타게 만들고 있고 그 불은 꺼지지 않을 것인가?

경쟁력 있는 회사 만들기

　식당 창업 멘토로 유명한 백종원 사장은 '거기 아니면 못 먹는 음식'을 강조하며 차별화된 음식을 개발하도록 식당 주인들을 독려한다. 그가 운영하는 식당의 음식은 다른 곳에서는 맛볼 수 없는 독특함이 있다. 필자는 중국 음식을 좋아해서 그의 브랜드 식당 중 하나인 '홍콩반점'에 자주 가는데, 기존에 볼 수 없었던 것들을 보게 된다. 젊은 주방장과 직원들, 주방 내부를 훤히 볼 수 있는 인테리어, 선불제, 기존의 중화요리를 탈피해서 저렴하고 젊은 사람들 입맛에 맞춘 레시피 등등. 작은 식당이지만 찬찬히 둘러보면 많은 차별화를 위한 노력이 보인다.

　그의 성공은 이처럼 하나같이 고객을 위한 독특한 발상과 차별화의 노력이 뒷받침된 것이다. '새마을 식당' 등 다른 외식 브랜드들도 기존의 관행을 깬 독특한 분위기와 스토리, 맛, 가격, 용량 등 그 브랜드만의 경쟁력이 있기에 승승장구하고 있다.

　내가 교류하는 사장들이 경영하는 회사 중에 소위 '잘나가는' 회사는 이러한 결정적 한 방, 즉 경쟁력이 있다. 그리고 그 한방은 창업자의 이력, 개성과 관계가 있는 경우가 많다. 인맥관리를 잘해서 어려울 때마다 구원투수가 나타나고 거래처를 소개받아 성공적인 사업을 해나가는 사장이 있다. 제품을 개발하고 연구하는 것을 좋아하는 사장은 계속해서 신제품을 내놓고 특허를 많이 등록하여 지적재산이 많은 강점이 있다. 외국어가 유창하고 외국인들과 잘 어울리는 사장은 선진국의 여러 거래처들의 고기술 제품을 국내에 소개하여 납품하다가 기술이 축적되자 직접 국내에 공장을 설립하고 제조까지 하여 큰 기업을 만든다.

경쟁력에 관한 한 가장 잘 알려진 최고 권위자는 마이클 포터다. 그가 1980년대에 쓴 책인 경쟁 전략(Competitive Strategy)과 경쟁 우위(Competitive Advantage)에서 소개된 경쟁이론은 지금까지도 대표적인 경영이론으로 사용되고 있다. 그가 주장하는 경쟁 전략은 가격우위, 차별화, 집중화이다.

	가격 우위	차별화	집중화
경쟁력	규모의 경제	제품 차별화 서비스 차별화 광고 차별화 가격 차별화	시장 집중화 시장 집중화

대량생산을 통하여 원가를 떨어뜨려 규모의 경제에 의해 가격 경쟁력을 갖추던지, 무엇인가 차별적 변화를 통하던지, 시장을 좁게 설정하여 그곳에 집중적으로 역량을 투입하는 집중화를 통해 경쟁력을 만든다는 것이다.

실제로 이 이론은 현재의 사업환경에서도 타당하지만 중소기업의 입장에서 보완할 부분도 없지 않다.

가격우위 전략은 경쟁자들보다 저렴하게 시장에 판매하는 것인데, 대량생산에 의해 규모의 경제를 실현하는 것이다. 작은 기업의 입장에서는 이 전략을 채택하기는 쉽지 않다. 대량으로 생산, 혹은 주문할 능력이 큰 기업보다 상대적으로 약하기 때문이다. 그래서 큰 기업은 이 전략을 잘 사용하여 작은 기업보다 경쟁우위에 선다. 그러나, 작은 기업도 한정된 기간 동안이나마 이 전략을 사용하여 큰 기업보다 더 싼 가격을 책정한다. 일시적인 손해를 감수하고 시장에 존재감을 드러내는 것이다. 그리고 브랜드와 제품을 소비자에게 알린 후, 서서히 가격을 정상수준으로 올리면 된다. 물론, 이때에는 제품과 서비스에 차별적인 것을 가미해야 한다.

가입자 수가 결정적인 사업 성패를 좌우하는 온라인 서비스업 같은 경우에 무료로 일정 기간 동안 서비스를 제공하다가 가입자가 어느 정도 채워지면 적절한 가격을 책정하는 것도 이런 형태의 하나이다. 이미 그 서비스 사용에 익숙해진 가입자들은 약간의 비용이 들더라도 기존의 패턴을 바꾸려 하지 않기 때문이다.

한편 작은 기업이 할 수 있는 가장 적합한 전략은 차별화 전략이다. 차별화 전략은 제품 차별화, 서비스 차별화, 광고 차별화, 가격 차별화 등이 있다. 제품 차별화는 제품의 기능, 디자인 등을 소비자가 더 편리하고 만족할 수 있게 경쟁 제품과 다르게 하는 것이다. 근래에는 포장도 제품 차별화의 하나로 사용되고 있다. 그리고 특허를 통해서 차별성을 보호받는 것도 중요하다. 또 서비스 차별화는 소비자 접근성, 배송, 고객 응대, A/S 등을 경쟁업체들 대비 차별화하는 것이다. 성장해 가는 온라인 쇼핑에서 '로켓배송' 같은 문구를 써가며 배송 전쟁을 벌인다든지, 별도의 서비스회사를 설립하는 경우가 이에 해당한다.

작은 기업들이 할 수 있는 것은 제한되어 있지만, 오히려 더 잘 할 수 있는 것들도 있다. 적은 인원이지만 철저한 고객응대 교육을 통해 큰 기업이 하지 못하는 선까지 서비스를 제공할 수 있을 것이다. 마치 가족을 상대하듯이 따뜻하고 친밀한 응대는 작은 기업이 오히려 더 잘할 수 있다. 고객을 회사에 초대하여 의견을 듣는다든지 제품 개발에 고객을 참여시킬 수도 있다. 고객이 원하기 전에 먼저 뛰어가서 고객의 문제를 해결해 줄 수 있다. SNS를 활발하게 하여 고객들과 가족 같은 친밀함을 만들 수 있다.

광고 차별화는 가시성(可視性)이 높은 광고디자인으로 소비자의 이목을 끈다든지, 광고 문구나 노래를 독특하게 하거나 중독성이 있게 제작하여 브랜드를 알리는 차별화이다. 라디오 광고는 부담되지 않는 비용으로 잘 제작하면 멜로디와 가사가 인기를 끌어 큰 효과를 거둘 수 있다. 근래에는 제품 제작이나 사업에 관한 내용 등을 하나의 스토리로 만들어서 고객의 마음을 움직이거나 코끝을 시큰하게 하는 감동을 주어 회자되게 하기도 한다. 그러나 놓치지 않아야 할 것은 진정성이다. 억지로 꾸며놓은 인상이 주는 광고는 특히나 작은 기업에는 치명적이다.

가격차별화는 가격을 오히려 높게 책정하여 고급제품이라는 이미지를 소구(訴求)한다든지, 시장을 세분화하여 각각의 시장별로 상이한 가격을 책정하는 것이다. 프리미엄 가격 전략에서 주의할 점은 높은 가격만큼의 제품, 서비스 프리미엄 이미지를 소구해야 한다는 것이다. 단순히 가격만 올리는 것이 아니라 고급스럽고 독특한 제품 디자인과 포장, 설득력이 있는 제품 스토리를 통해 소비자가 수긍해야 한다.

집중화 전략도 작은 기업이 할 수 있는 것이다. 집중화 전략에는 시장집중화, 제품 집중화 등이 있다. 시장집중화는 시장 특성에 따른 시장 세분화를 통해 큰 시장을 여러 작은 시장으로 나누고 그중에 당사에 가장 적합한 시장을 선정하여 그 시장에만 모든 역량을 집중하는 것이다. 그래서 그 작은 시장에서만큼은 지배력을 갖추고, 이후에 인접한 다른 작은 시장에 진출하는 것이다. 쉬운 예로 들 수 있는 것이 지역별 세분화인데, 회사가 있는 지역에만 집중하거나 해외에서 특정한 나라에만 집중하는 것이다. 제품 집중화는 다양한 제품 카테고리에서 하나의 카테고리에 집중하는 것이다.

독일에는 세계 1위 부품회사들이 많이 있다고 이미 언급을 했다. 몇십 년, 몇백 년 동안 한 분야, 하나의 부품만 집중하여 세계적인 기술력을 갖추고 독보적인 사업을 펼쳐나가는 회사들이다. 그들은 그동안의 숱한 다각화의 유혹을 버리고 오랫동안 경쟁력을 유지하고 있다. 한 종류만 파는 식당에 사람들이 몰리는 이유는 노하우가 축적되어 맛이 남다르기 때문이다.

현대의 사업 세계에서 경쟁력은 점점 복잡해지고 있으며 고객은 수많은 경쟁제품의 홍수 속에서 선택의 폭이 넓고 구매 수단도 다양해지고 있다. 이제는 직접 회사의 제품 개발 단계에서 참여하는 소비자도 늘어나고 있으며 SNS의 일상화로 개인이 직접 홍보의 주체가 되어 1인 기업이 되기도 한다. 그래서 경쟁력의 형태도 다양하게 변하고 있다.

초기 기업은 자신의 위치와 역량, 그리고 자신이 속해있는 환경을 파악하여 적합한 경쟁력을 갖추는 것이 필요하다. 그러기 위해서는 자신의 위치를 잘 파악해야 한다.

경영이론에서 잘 쓰이고 나도 종종 사용하는 것 중에 'SWOT' 분석이 있다.

내부분석	장점(Strength)	단점(Weakness)
환경분석	기회(Opportunity)	위협(Threat)

　이것은 기업 내부의 장점과 단점, 그리고 기업을 둘러싼 환경의 기회요인과 위협요인을 각각의 칸에 기술하여 기업의 위치를 파악하는 것이다. 이것을 토대로 기회를 붙잡고 위협을 회피하기 위해 기업 내부 역량의 장점을 강화하고 단점을 보완한다. 때로는 전략적 선택에 의해 단점을 무시하기도 한다. 정확하게는 일정 기간까지만 단점을 보완하기 위해 에너지를 사용하기보다 장점을 극대화하는 데에 집중하기도 한다.

　이 4개의 채워진 칸을 분석하는 작업도 중요하지만, 칸에 채우는 내용이 더 중요하다. '나를 알고 적을 알면 100전 100승'이라고 했는데, 나를 정확히 아는 것도, 적을 정확히 아는 것도 면밀한 분석을 필요로 한다.

　환경은 거시환경과 미시환경으로 나눌 수 있는데, 거시환경은 정치 법률, 경제, 사회, 기술 등이고 미시환경에는 회사가 속한 산업에서의 환경으로 경쟁업체, 관련업체, 해당 정부기관 등이 있다.

거시환경	정치 법률	금융정책, 입법활동 등
	경제	경제성장률, 개인의 가처분 소득, 소비동향 등
	사회	가치관, 종교, 여가 선호, 라이프사이클 등
	기술	신기술, 신제품, 신공정, 신원료 등

미시환경	경쟁업체	같은 시장에서 경쟁하는 업체들
	관련업체	부품이나 제품 공급업체, 물류업체, 도소매업체
	해당 정부기관	회사가 소속된 산업에 있는 정부기관

각 항목의 한 가지씩만을 가지고 초기기업에 있어서 경쟁력 분석을 하나 예를 든다면 다음과 같다.

내부분석

새롭고 독특한 디자인으로 의장등록을 한 장점이 있지만 자금력이 취약한 단점이 있다.

환경분석

거시환경에서는 소비동향과 라이프사이클을 보면 본 제품에 유망한 기회를 제공하지만, 환경 정책과 신기술의 출현은 위협이 될 수 있다. 미시환경에서는 동 산업 경쟁업체가 많지 않고 선두그룹 업체들의 디자인은 고객이 불편해하며 세련되지 못하지만, 시장 지배력으로 커버하고 있는 기회가 있다. 하지만 적합한 외주 생산업체가 선두업체에도 제품을 공급하고 있어서 시장 지배력을 이용하여 공급선에 압력을 행사하여 가격 인상 등의 방법으로 공급을 어렵게 하는 위협이 있다.

항목당 한 가지만을 기술했는데, 무엇을 강화하고 무엇을 보완해야 하는지 어느 정도 알 수 있다.

필자는 1차적으로 될 수 있는 한 많은 항목을 칸에 채우고 나서 다시 생각하면서 지워나가는 방법을 사용한다. 일단 정확히 4개의 칸을 빠짐없이 채웠으면 이미 회사가 나아갈 방향이 자동적으로 어느 정도 정해진다. 어디에 더 집중하고 어디를 보완할지, 어디를 무시할지가 정해지면 회사의 경쟁력이 무엇인지 나타난다.

전반적으로 경쟁력이 약하다고 분석결과가 나오면 그대로 사업을 추진해서는 안 되고 다시금 제품, 서비스, 마케팅 등을 재점검·보완하여 경쟁력이 있다고 확신이 서면 비로소 앞으로 나가야 한다. 이것은 이겨놓고 전쟁을 하는 것과 같다.

또 하나 알아두어야 할 것은 유명한 경영이론이라고 무작정 따라

가기보다 충분히 이해한 후에, 비판적 시각과 함께 자신에게 맞는 더 적합한 모델도 세울 필요가 있다는 점이다. 그리고 환경과 회사 내부의 변화는 불가피하므로 주기적으로 회사의 경쟁력에 대해서 업데이트하여 살펴봐야 한다.

 생각해보기

- 나는 식당이나 상점을 가면 그곳의 독특한 점이 무엇이고 어떤 경쟁력을 가지고 있는지 자동적으로 관심이 가는가?
- 우리 회사는 가격우위, 차별화, 집중화 중 어디에 경쟁력을 가지고 있는가?
- 직원들과 함께 SWOT 분석의 빈칸을 채워보고 회사의 강점과 약점을 도출해 보았는가? 도출된 강점을 더 강화시키기 위해서는 무엇을 해야 하는가?
- 나는 회사가 현재 시장에서 어떤 위치에 있고 앞으로 어떤 위치에 자리잡기 위해서 노력해야 하는지 알고 있는가?

패티김의 자기관리

우리나라 가수 중에 오랫동안 인기와 명성을 잃지 않고 사랑을 넘어 존경을 받고 있는 패티 김이 있다. 가을을 남기고 간 사람, 초우, 이별 등 주옥같은 노래를 부른 주인공으로 우리나라 사람 대부분이 좋아하는 대형가수이다. 1958년 데뷔를 해서 2012년 74세에 은퇴를 했으니 54년 동안 무대에서 꾸준히 대중과 호흡을 하며 사랑을 받아온 것이다. 은퇴 인터뷰에서 은퇴 이유를 묻는 질문에 10년은 더 노래할 수 있을 것 같은데, 건강할 때 아름답게 은퇴하고 싶어서 결심을 했다고 말했다.

패티김은 자기관리에 철저하기로 유명하다. 저녁 6시 이후에는 물한 잔도 안 마시고 매일 아침 일찍 남산에 올라가서 운동과 발성 연습을 하고 목에 주름이 가는 것을 방지하기 위해 베개도 없이 머리를 똑바로 하고 잔다고도 한다. 팬들에게 보이는 무대를 위해서는 옷자락의 주름 하나도 흐트러뜨리는 것을 용납하지 않고 무대에서 신을 신발로는 땅도 밟지 않을 만큼 진정한 프로페셔널로 잘 알려져 있다.

가수는 목소리가 생명이다. 조금만 관리를 게을리하면 관객들이 먼저 알아본다. 패티김도 은퇴하기 몇 년 전 한 관객이 그녀가 키를 한 단계 낮추어서 부르는 것을 지적하는 것을 보고 은퇴를 생각했다고 한다.

50여 년간 유혹이 넘치는 연예인 생활 중에 계속해서 대중과 더불어 살면서 한 번도 오점이 될 만한 스캔들이 없었다는 것은 박수를 보낼 일이다. 그녀의 일흔 살, 50주년 인터뷰를 보면 마치 50대의 활력있는 여자를 보는 것 같다. 그 나이에도 매일 4~5㎞를 걷고 틈이 날 때마다 수영과 요가로 체력을 관리한다고 했다. 그녀는 "평생 배부르게 먹어보는 것이 소원"이라고 할 정도로 절식을 생활화하고 있다고도 했다. 공연 전에는 탄산음료, 맵거나 짠 음식을 삼가고 목소리 관리를 위해 평소에 말을 아끼는 생활을 해오고 있다고 했다.

그녀 자신도 50여 년간 최정상의 가수로서 대중의 사랑을 받을 수 있었던 것은 '패티김'을 위한 김혜자(본명)의 철저한 자기관리라고 한 인터뷰에서 말했다. 강산이 다섯 번 바뀌는 동안에 그녀라고 며칠쯤은 마음대로 먹고 늦잠도 자며 빈둥거리고 운동도 좀 쉬고 싶은 생각이 없었을까? 아니 단 하루만이라도 그렇게 하고 싶지 않았을까?

공연이 끝나는 날이면 늘 2~3시까지 잠을 못잔다고 한다. 공연의 처음부터 끝까지 복기(復棋)하면서 '여기에서는 이렇게 하는 것이 좋았었다, 저기서는 그렇게 하지 말았어야'라고 생각하며 자신을 다듬는다는 것이다. 일흔 살에도 연간 50회의 왕성한 공연을 하면서 매번 자신을 돌아보고 반성하며 개선해 나가는 것이다. 50여 년을 동일한 노래를 부르는 무대에서 더 개선할 것이 있을까 싶겠지만, 그렇게 자신을 채찍질해 온 것이 오늘날 위대한 가수를 낳게 된 것이다.

가수에 패티김이 있다면 배우에는 안성기가 있다. 각종 영화제에 25번이나 남우주연상을 수상할 정도로 화려한 활동을 했지만, 한 번도 불미스러운 구설수에 오른 적이 없는 그는 데뷔 60여 년을 훌쩍 뛰어넘어 지금도 각종 CF, 유니세프 친선대사로 활동하고 있다. 탤런트, 배우들이 어려움이 생기면 제일 먼저 찾는 사람이 안성기라고 한다. 안성기의 쓴소리와 조언이 약인 것이다. 그가 오랜 세월 동안 보여준 자기관리와 인성은 후배들의 본이 되고 있다.

패티김이나 안성기를 하나의 기업으로 생각하면 어떨까? 50년 이상 생존하며 지금도 활발하게 사업을 펼치고 있는 기업들, 사회에 오점이 될 만한 사건 없이 자기관리에 철저한 기업들, 사회와 고객의 변화에 적응하며 명성을 이어오고 있는 기업들. 자연인인 패티김과 안성기는 어쩔 수 없이 은퇴해야 하지만 기업은 그렇지 않다. 기업은 100년이고 200년이고 계속해서 존재할 수가 있다.

2020년 기준 설립 50년이 넘은 '장수기업'은 480개사로 2.3%였다.

100년 이상 된 기업은 9곳이었다. 두산, 신한(조흥)은행, 동화약품, 우리(상업)은행, 몽고식품, 광장, 성창기업지주, S&T모터스(대전피혁의 후신), 경방이 100년 이상을 이어가고 있다. 이밖에 유한양행(1926년 설립), 건설업의 대림산업(1939년 설립), 운수업에서는 전북고속(1920년 설립), 강원여객자동차(1921년 설립) 등의 장수기업이 있다. 대중들에게 잘 알려졌든, 잘 안 알려졌든, 이들 기업들의 공통점은 패티김, 안성기의 그것과 맥을 같이한다. 그들의 철저한 자기관리는 기업들의 철저한 기업관리와 동일하다.

미국의 위클리비즈가 2016년에 2006년부터 10년간 인터뷰한 장수기업 55곳을 분석한 결과 알파벳 P로 시작하는 세 가지 공통분모를 가진 것으로 나타났다.

첫째는 사람(People)이다. 장수기업은 결코 단 한 영웅에게 의존하지 않는다. 엄격한 기준을 세우고 철저한 검증을 거쳐 훌륭한 경영자를 꾸준히 배출해내는 시스템을 갖추고 있다.

둘째는 선구자(Pioneer)정신이다. 기업이 스스로 시장 변화에 발맞춰 핵심 역량을 바꿔나가는 것이다.

셋째는 장인 정신(Professionalism)이다. 끊임없이 혁신을 찾는 와중에도 전통과 원칙을 지킨다.

사람들은 기업을 유기체에 비유한다. 탄생하고 성장하며, 어려움을 겪어 이겨나가다가 장년이 되고 노년이 되어 생을 마감한다. 사람들은 숱한 어려움을 극복하며 성공한 다른 사람들에게 박수를 보낸다. 하지만 기업은 불멸할 수 있는 유기체라는 면에서 다르다. 패티김과 안성기의 성공과 유지 관리는 기업과는 다른 면이 있지만 철저한 자기관리가 100년 기업의 DNA라는 것은 잘 알 수 있다.

 생각해보기

- 나는 사업을 함에 있어서 패티김같은 자기관리를 할 수 있는가? 할 수 없다면 패티김의 성공과 기업의 성공은 다르다고 생각을 하는가?
- 100년이 넘는 해외의 장수기업이 어디인지 확인하고 나름의 분석을 해봤는가?

돈을 지배하라

    얼마 전 뉴스를 보니 미국에서 파워볼(Powerball) 복권으로 일확천금을 받은 사람이 하루아침에 돈과 건강, 가정까지 잃는 사례가 올라왔다. 처음에는 몇억 불이나 하는 어마어마한 돈의 액수가 절대로 사라지지 않을 것이라 생각하고 물 쓰듯이 썼다. 하지만 여기저기 투자를 하여 많은 돈을 잃고 사기도 당해 결국에는 그 많던 돈이 다 없어졌다. 그리고 술과 음식을 탐닉하다가 건강을 잃고, 배우자와 이혼했으며 재혼마저 파탄이 되었다.

    그 뉴스를 보고 '과연 그 많은 돈이 그 짧은 시간에 다 없어질 수 있나?'라는 의구심과 나라면 어떻게 했을까?'하는 생각이 떠오른다. 돈을 보고 다가오는 사람들을 분별하지 못하고 순식간에 돈을 번 것처럼, 순식간에 돈이 나갈 수 있다는 것을 몰랐던 것이리라. 더욱이 돈으로 모든 것을 할 수 있다는 생각으로 배우자도 새로 얻었지만, 돈을 보고 온 사람들이 돈이 없어지자 하루아침에 사라지듯 배우자도 사라지고 말았다. 아마도 이 사람은 넉넉하지는 않지만 하루하루

직장에 나가 일을 하고 주말에 가족과 함께 보냈었던 작은 행복을 그리워할 것이다.

돈을 좇지 말고 돈이 나를 좇아오도록 하라는 말을 많이 듣는다. 이 말은 오로지 돈을 벌기 위한 목적을 위해, 혹은 돈을 벌기 위한 목적이 제일 큰 비중을 차지해서는 안 된다는 것이다. 나도 항상 그 말을 되새기면서 살고 있다.

그동안 경험했던 사장들 중에 돈을 좇는 사장들을 봤다. 그들은 건설적으로 회사를 운영하기보다 자기 몫을 챙기는 데 더 주안점을 둔다. 회사가 어려울 때 재투자해야 할 돈을 배당금으로 챙겨간다. 어떤 사장들은 가지급금(용도를 명시하지 않고 대주주·임원 등 업무와 관련이 없는 특수 관계인에게 지불되는 금액)을 개인적으로 사용하다가 그 금액이 많아져서 나중에는 감당하지 못하고 회사가 자신의 빚쟁이가 된다. 물론 회사의 주식을 소유한 주주로서 불가피한 경우가 있다고 하더라도 조기에 상환을 해서 그 문제 때문에 회사의 발전이 가로막혀서는 안 된다. 조직의 리더로서 직원들에게 좋지 않은 행위로 보이기 쉽다.

돈은 화폐로서 하나의 경제수단이다. 하지만 돈에는 인격이 없다. 그런데 사람들은 그것을 인격화해서 섬기기도 한다. 무체물인 돈이 나를 섬겨야 하는데, 만물의 영장인 사람이 그분께 절을 한다. 그러다 보니, 결국에는 많은 재산 때문에 내가 재산의 노예가 된다. 남들을 위해서 쓰는 데에 인색해서 수전노 소리를 듣고 진정한 인간관계를 맺지 못한다. 진정한 행복을 돈 때문에 밀어내고 있는 것이다. 쌓여있는 재산을 보면 기분이 좋을 수는 있지만, 그 돈은 인생을 마감할 때에 나의 손에 남지 않는다. 사람들은 그 사람이 얼마나 돈이 많았는지를 기억하기보다는 그 사람이 그 돈을 가지고 어떻게 살았는지를 판단한다. 그 사람이 누구를 어떻게 도왔고 남은 재산을 어떻게 분배하고 죽었는지에 관심을 기울인다.

　돈은 인간의 효율적 삶을 위한 발명품이다. 그리고 그 속에는 일한 사람들의 땀과 정성이 담겨있다. 우리는 행복해지기 위해 돈을 번다. 불행하기 위해서 돈을 버는 사람은 없다. 그러나 돈이 많아도 불행한 사장들을 종종 봤다. 재산문제로 가족이 해체되고, 무엇이든 부족함 없이 다 해주다 보니 자녀들은 독립심이 없어서 사회에 제대로 적응하지 못한다. 돈을 노리는 가식적인 사람들만 주위에 생기고, 비싸고 좋은 음식만 많이 먹고 운동을 안 해 건강을 해치는 등 오히려 돈이 없었으면 좋았을 뻔한 사장들이 있다.

　반면 돈은 그렇게 많지 않더라도 검소하게 생활하며 다른 사람의 아픔에 관심을 두어 작게나마 도움을 주고 직원들의 복지를 먼저 생각하는 사장들은 주로 회사가 안정되어있다. 어려움을 만나도 직원들이 하나로 뭉쳐서 뚫고 나가고 주위의 도움으로 극복해 나가기도 한다. 설사 불가피하게 회사를 정리하더라도 곧 재기할 수 있는 여건이 회복된다. 무엇보다 돈보다 더 중요한 사람들과의 관계, 화목한 가정에서 진정한 행복을 누리는 특권을 가지게 된다.

소프트뱅크의 재일교포 손정의 사장이 창업 시 돈을 두부로 여긴 것은 유명하다. 1억 엔을 두부 한 모로 생각하고 투자를 할 때도, 수익을 거두어도, 손해를 보아도, 한 모, 두 모, 열 모……, 돈의 액수에 갇히지 않고 대범한 투자를 했기에 큰 회사와 재산을 일군 것이다. 돈을 하나의 단위가 있는 유체물로 여기면서 마음을 다스리고 돈에 기(氣)가 눌리지 않았다. 그래서 천문학적인 금액의 투자에도 담담하고 큰돈을 잃을 위기에도 초연할 수 있었던 것이다.

얼마 전 페이스북의 마크 저커버그가 자신이 가진 재산의 99%를 사회에 기부하겠다는 선언을 했다. 워런 버핏, 빌 게이츠, 한국의 유일한 박사 등 돈에 대한 마인드가 훌륭한 현명한 사장들을 볼 수 있다. 그런 사람들은 그런 마인드를 창업 전부터 가졌으리라 생각한다. 그리고 본인이 돈을 좇지 않고 돈이 자신을 따르게 해서 성공했다. 돈이 그들의 인격 밑에 절하게 만든 셈이다.

 생각해보기

– 복권에 1등 당첨되면 어떻게 돈을 쓸 것인가?
– 돈을 주인으로 섬기는가? 아니면 종으로 부리는가?
– 내가 이 세상을 떠날 때 가지고 가는 것은 무엇인가?

투자의 원칙

주식

돈이 있으면 각종 투자에 대한 기회가 생긴다. 그중에 가장 먼저 눈에 들어오는 것이 주식이다. 많은 자금을 주식에 투자하지는 않았지만 다양한 투자 경험상, 그리고 주위 사람들의 경험을 지켜보건대, 단기 투자는 지양해야 한다. 단기적으로 큰돈을 벌 수도 있지만, 특히 사업을 하고 있는 사람이 주식 단기투자를 하며 매일 해당 주식들을 살펴보고 사고파는 일에 시간을 많이 소요하며 일희일비(一喜一悲)하는 것은 좋아 보이지 않는다.

처음에는 단기매매를 통하여 돈을 벌다가 결국에는 본전도 못 버는 경우가 더 많기도 하거니와 본업인 사업에 집중도가 떨어지는 것을 우려해서다. 사업에 집중해서 여러 현안들을 헤쳐나가고 미래를 준비하는 데에도 시간이 모자라는데, 주식차트가 먼저 머릿속에 어른거려서는 곤란하다. 회사 주식은 수많은 환경에 영향을 받고 예측 불허이기에 단기적 전망은 어렵다. 단기간의 호재를 믿고 투자하다가

계획대로 진행이 안 되면 상당 기간 자금이 묶이다가 결국 손해를 보고 팔기가 쉽다.

주식투자는 여유가 있는 자금으로 장기 투자를 하는 것을 권면한다. 최소 5년은 묻어 둘 생각으로 우량회사나 장기적으로 전망이 있는 회사에 대해 투자하는 것이 바람직하다고 생각한다. 그리고 해당 회사에 대한 상세한 분석을 통해서 확신이 생기는 경우에만 투자하는 것이 좋다. 재무적 관점, 경쟁상황, 산업분석은 물론 CEO와 조직까지 분석하여 훤하게 회사에 대해 알아야 한다. 이를 통하여 안정적 투자는 물론, 사업 감각을 늘리고 내 회사를 운영하는 데에 참고도 된다.

잘 알다시피 주식투자의 대가인 워런 버핏의 투자원칙은 우량한 회사에 장기투자를 하는 것이다. 그리고 투자 대상 회사에 대한 면밀한 분석을 통해 해박한 지식을 갖추기 전에는 투자하지 않는다. 직접 개별 회사에 대한 투자가 어렵다면 주식형 펀드로 포트폴리오를 통해 위험을 분산할 수 있는데, 나는 우량 기업 인덱스펀드(Index Fund)를 추천한다. 한 예로는 미국 S&P 500 인덱스펀드(Standard & Poor's 500 Index)인데, 미국 상장기업 중에 500개 우량회사에 대한 투자를 장기적으로 하는 것이다.

만일 투자할 생각이 있고 여유자금이 있으면 투자 후 10년 이상 쳐다보지 않는다고 생각을 하고 투자를 하는 것이 좋다. 나이가 젊을 때, 적립식으로 매월 일정한 금액이 자동이체 되도록 하는 것도 좋다. 단기적으로는 주가가 오르내리지만 5년 이상을 보면 결국에는 우상향할 확률이 매우 높기 때문이다. 복리의 원리는 투자에서는 가장 중요한 것 중의 하나이다. 한 살이라도 어릴 때 장기적인 투자를 하는 것이 좋다. 직장 생활 시작하면서 30세에 큰돈이 아니더라도 우량주를 매월 얼마씩 투자를 하면 30년이 지난 60세에는 꽤 돈이 되어서 노후대책도 될 수 있다.

빚을 내서 주식투자 하는 것은 지양하기를 권한다. 빚을 내서 투자하면 단기적인 투자가 되기 쉽고 많은 돈을 잃었을 경우, 그 빚에 허덕이다 귀중한 시간을 잃어버리게 된다. 그리고 지인이 추천해서 투자하는 경우나 호재가 있다는 말을 듣고 투자하는 경우, 그 사람의 말을 믿는 것과 실제 회사에서 일어나고 있는 것 사이에는 괴리가 있다고 생각해야 한다. 그리고 실제로 그것이 사실인지 직접 검증해봐야 한다. 그 사람이 좋은 의도로 정보를 주었다 하더라도 그 정보를 제대로 검증했는지는 별개의 문제이기 때문이다. 나중에 그 사람을 원망하기보다 스스로의 노력에 의해 면밀한 검증 후에 투자를 해야 한다.

스타트업 투자

스타트업이나 기술기업 등 비상장 회사에 대한 투자도 내가 잘 아는 분야에 하는 것이 좋다. 그 분야에 대해서 공부하면 되지만 단기간에 한 분야를 아는 것이 쉽지 않아 미흡한 채로 투자할 수 있다. 나도 투자설명회에 가서 획기적인 어학프로그램을 갖춘 스타트업에 적지 않은 돈을 투자했다가 회사가 망해서 한 푼도 건지지 못한 경험이 있다. 그 당시에 어학 어플(Application) 분야를 잘 몰라서 나름대로 분석을 해서 가능성을 보았는데, 획기적 아이디어와 CEO에 대해 너무 긍정적으로 보았고, 경쟁상황에 대한 완전한 이해를 못한 상태에서 투자를 했었다. 지금 생각해보면 거의 충동(衝動) 투자나 다름 아니었다. 회사가 잘 되었으면 2배, 3배, 아니 그 이상 수익을 거둘 수도 있었겠지만, 지금 생각하면 당시에 욕심 때문에 시간을 두고 제대로 판단을 못했다는 자책이 든다.

회사 차원에서의 투자로 바람직한 것은 M&A나 전략적 투자이다. 회사를 인수해서 기존의 사업을 확장하거나 전망 있는 분야에 뛰어들어 약간의 지분 투자를 통해 함께 협력관계를 만드는 것은 사업에 도움이 된다. 이러한 경우에는 사업상 반드시 필요한 투자인가를 철저히 분석할 필요가 있다. 그리고 양사의 결합으로 시너지효과(Synergy Effect)를 발휘할 수 있는가를 따져보아야 한다. 단순한 욕심이나 필요 없이 규모만을 확장할 생각으로 기존 사업과 관련이 없는 분야의 기업을 M&A를 해서는 안 된다.

부동산

요즘 정부의 부동산 정책이 단기간에 자주 바뀌는 바람에 정신을 차리기 힘들다. 예금 금리가 0% 대로 떨어지면서 거대한 부동자금이 부동산의 수요가 어디로 몰리고 어디가 뜰지 촉각을 세우고 있어서 갑자기 한 지역의 아파트값이 천정부지로 치솟는다. 그 로또를 본 사람들이 너도나도 부동산에 몰린다.

필자도 웬만한 종류의 부동산은 한 번 이상은 투자를 했는데, 때로는 손해를 보고 수익도 보면서, 또 공부도 하면서 어느 정도 부동산에 대한 나름의 철학이 생겼다.

투자자 입장에서 부동산은 매력적인 투자처다. 주식과 같이 하루아침에 깡통 차는 경우는 없다. 교통 요지에 있는 건물가액은 쉽게 떨어지지 않는다. 개발호재를 믿고 무리해서 비싸게 산 농지, 임야 등이 아닌 다음에야 땅은 사두면 장기적으로는 오른다. 그러나 개발호재를 믿고 무리해서 비싸게 산 땅이 예상과 달리 개발도 안 되고, 팔려니 매매도 쉽게 안 되어서 이자만 나가는 꼴을 종종 본다. 여유롭지 않은 자금이 묶이어서 큰 고생을 하는 경우가 많다.

사장은 언제나 자신의 자금이 한 곳에 묶이지 않도록 투자를 해야 한다. 그래야 회사에 자금사정이 안 좋거나 좋은 투자기회가 있을 때 언제든지 투입할 수 있다. 공인중개사 등 부동산 전문가를 잘 선별하는 것도 중요하다. 너무 긍정적인 전문가는 멀리하고 합리적인 판단을 하는 사람인가를 먼저 따져서 나의 도우미로 삼아야 한다. 그들이 나에게 추천을 해줄 수는 있지만 책임을 지지는 않기 때문이다. 친철과 호의는 좋은 투자처와는 아무런 관련이 없다. 오히려 내 눈을 가릴 수 있다. 사기 부동산 업자에게도 나의 욕심이 과하면 물릴 수 있다. 사기꾼은 욕심을 이용하기 때문이다.

안정적인 월세로 가정에 보탬을 주고 싶다면 다가구나 다세대에 투자할 수도 있다. 대중교통과 가깝고 산업단지가 있는 곳이라면 공실(空室)이 적기 때문에 투자가치가 있다. 다가구 건물 전체를 투자할 수도 있고 다세대 건물의 몇 개의 실(室)에 투자하기도 한다. 노후화된 다가구, 다세대, 빌라가 교통 요지에 있다면 리모델링(Re-modeling)을 하여 새롭게 변신시킬 수도 있다. 그럴싸한 건물보다 이런 건물이 더 수익성이 좋다. 투자할 때에는 안정적인 월세를 받는 것이 우선인지, 건물 가치가 올라가 양도차익을 노리는 것인지 분명하게 구분하는 것이 좋다. 그래서 나의 형편과 자금사정에 따라서 투자물건을 좁힐 수 있다.

그럼, 회사 차원에서 부동산 투자는 어떻게 해야 하는가? 회사의 사세가 확장되고 직원들이 많아지면서 신축을 하는 경우도 있고, 큰 사무실을 분양받는 경우도 있다. 직접 제조를 하는 경우에는 산업단지와 같은 곳을 분양받아 세금혜택도 받고 산업단지 인근에 상업시설과 주거지가 세워지면서 덩달아 땅값이 많이 오르는 경우도 많다. 처음부터 땅값이 오를만한 부지를 선택하는 경우도 있고 필요에 의해서 직원들의 거주지에 가까운 곳을 선택했는데, 예기치 않게 땅값이 오른 경우도 있다. 부동산도 회사의 자산이므로 미래가치를 보는 것은 당연하다.

내가 아는 지인도 오래전 김포의 큰 땅에 회사를 신축했는데, 3년 만에 땅값이 약 3배가 올랐다. 그 회사의 관리이사가 철저하게 지역을 분석하고 은행이자와 미래가치를 예상하여 부지를 선택하여 회사의 자산증식에 기여한 것이다.

요새는 지식산업단지에 입주하는 회사들이 많은데, 임차료와 은행이자, 취득세 감면 혜택을 고려하면 분양을 받거나 매입을 하는게 금전적으로 유리하다. 그러나 스타트업과 같은 경우, 초기에 마케팅이나 기술개발 등 더 중요한 곳에 자금을 사용해야 하기 때문에 매매는 신중히 결정해야 한다. 또한 회사내부에 인테리어를 할 때에 법규를 잘 살펴서 나중에 문제가 되지 않도록 한다. 층고가 높은 것을 활용하여 복층으로 인테리어를 하다가 문제가 된 사례가 많다.

하지만 회사 차원에서 부동산 투기 대열에 동참해서는 안 된다. 사업이 잘 안 되는 사람들 중에 사업보다 부동산이 더 수익성이 높다고 사업은 이제 뒷전이고 부동산 물건만 찾는 사람들이 있는데, 그 시간에 왜 사업이 안 되고 있는지를 분석하고 개선해야 하지 않을까? 기존의 사업보다 정말 부동산이 전망이 있고 자신이 있다면 차라리 부동산 전문회사를 설립하여 부동산에 집중하든지, 부동산전문 자(子)회사를 통해 본격적인 사업으로서 임해야 할 것이다.

또 다른 지인 중에는 도시 외곽에 조립식 공장만을 전문적으로 건축하여 분양하는 사장, 서울 중심부에 다세대 주택만을 건축하여 분양하는 사장, 또 대형 상가를 전문적으로 개발하는 사장도 있다. 그들에게 물어보니 역시 교통 등 접근성을 가장 중요시 한단다. 그래서 가장 많은 시간과 에너지를 쓰는 것이 입지 선정이다. 그들이 가지고 있는 현재의 현황과 더불어 미래에 변화되는 전체적인 그림을 보는 눈은 하루아침에 생기지 않는다. 꾸준히 공부하고 정보를 받아들이며 시간이 날 때마다 현장을 분석하는 데에 적잖은 시간을 투자했다. 어설프게 남들이 돈을 버니까 따라한다면 백전백패이다. 다른 사람들은 호구가 아니다. 우연히 투자한 부동산이 대박을 터뜨릴 수는 있지만, 쪽박을 찬 소문은 회자(膾炙)되지 않고 조용히 사라진다.

 생각해보기

– 나는 투자를 장기적으로 하는가, 아니면 단기적으로 하는가?
– 왜 세상에는 투자해서 성공한 사례들이 훨씬 많이 보이는가?
– 나는 투자를 스스로 분석해서 전적으로 본인의 책임하에 하는 편인가, 아니면 다른 사람의 말을 듣고 결정적인 영향을 받는 편인가?

자금운용 요령

    기업에 자금은 사람에게 혈액이다. 혈액이 부족하면 사람은 죽고 혈액이 깨끗하지 못하면 동맥경화 등 각종 병의 근원이 된다. 사장은 자금에 대해서 밝아야 한다. 물론, 동업자가 그 역할을 대신할 수 있고 직원에게 맡길 수 있지만 최소한의 기본적인 회계지식과 자금흐름에 대해 알아두어야 한다. 그래야 다른 사람의 오류를 지적할 수 있고 단·장기 계획을 무리 없이 세울 수 있으며 나름의 재정철학을 직원들에게 설파할 수 있다. 기본지식이 부족하면 쉽고 재미있게 쓰인 기본 서적을 서점에 가면 찾아볼 수 있다. 그리고 나서 틈틈이 좀 더 심화된 책을 통하여 더 깊이 배울 수 있다.

    필자가 경영하는 회사는 매주 결산을 통해서 손익과 현금흐름을 파악한다. 그러면서 그 주의 영업과 관리를 어떻게 했는지 반성하고 그것이 수익과 현금흐름에 어떠한 영향을 미치게 되었는지를 분석한다. 매주 경영 결산의 최종 귀결은 자금이다. 그리고 매월 말에는 월간 결산을 하여 한 달 동안의 경영성과를 점검한다. 월간 결산에 따라 연간 계획을 다시 수정하기도 하고 다음 달 계획을 세운다. 매월 결산 시 현금흐름을 가장 중시하면서 매출채권(받을 돈)과 매입채무(줄 돈)을 파악하여 유동성에 문제가 발생되지 않도록 항상 조심한다. 작은 회사들은 유동성 위기가 곧 파산으로 이어질 수 있다.

우리나라에도 훌륭한 멘토가 많지만 자금에 관한 한 일본의 이나모리 가즈오라 교세라 그룹 창업자이자 회장을 기억할 필요가 있다. 나는 일본 사람을 배척하지는 않는다. 극일(克日)의 첫 단추는 앎에 있기 때문이다. 일본에도 배울만한 좋은 사람들이 있다. 우리보다 자본주의가 먼저 발전하여 참고가 될 만한 사례가 많다.

그는 회사의 자금운용에 대해서는 대표적인 전문가이고 세계 100대 기업인 교세라를 만든 핵심이 자금운용이기에 자금에 대해서는 배울만한 사람이다. 2010년 일본 최대 항공사인 일본항공(JAL)이 몰락의 길을 걸을 때, 구원투수로 나서 철저한 자금관리를 중심으로 한 특유의 경영으로 3년 만에 체질을 개선하고 경쟁력 있는 회사로 만들어 놓고 물러났다.

그의 가장 유명한 재무 철학은 '아메바 경영'이다. 부문별 독립채산제를 말하는 것으로 가장 작은 생물인 아메바가 독립적으로 살아가는 것을 보고 이렇게 이름을 붙인 것 같다. 부문별 독립채산제는 조직을 비용을 결산할 수 있는 최소의 단위로 나누어 각 단위별로 결산을 하는 것으로 각 단위에 속하는 직원들은 한 팀으로, 그리고 하나의 작은 회사로서 역할을 하는 것이다. 그래서 한 독립체가 다른 독립체에 고객이 되기도 하고 공급자가 되기도 한다. 예를 들면, 세라믹 사업부에 원료공급 파트가 있고 제조 파트가 있다면 서로가 독립 회사같이 원료공급을 매출로, 그리고 다른 쪽에서는 매입으로 잡고 매출을 올린 파트는 거기에 따른 손익도 발생시킨다.

또 하나 특이한 것은 일일결산을 통하여 매일 손익을 분석한다는 것이다. 그래서 매일 자금흐름을 놓치지 않고 모니터링하고 경영성과를 분석한다. 각 단위의 결산 결과는 하나의 그룹으로 통합되어 나타나고 그 그룹들의 결과가 전체 회사의 결과로 나타나 매일 경영진에게 보고가 된다.

나는 사업 초기에 이 회장이 직접 저술한 '아메바 경영'이라는 책을 읽고 많은 것을 느꼈었다. 철저하고 세부적인 경영과 자금관리에 숲보다는 나무에, 그것도 나무를 거의 해체하는 수준으로까지 하는 것에 감탄했다. 하지만 비전과 장기적 고객관리 등 같은 거시적인 면에서는 또 전체적인 숲을 조명하는 것을 빼먹지 않는 것을 보고 비범한 경영자라고 생각했다. 무엇보다 회계학이나 경영학에서 가르치는 교과서적인 것이 아니라 본인 스스로 기업을 경영하면서 연구하고, 또 성공적으로 적용하면서 만든 이론이라서 더욱 빛이 났다.

자금 중에는 정부에서 정책적으로 지원하는 자금이 있다. 기술개발 자금, 설비지원 자금, 마케팅 자금, 해외마케팅 자금, 소상공인 지원자금 등 많은 자금지원 정책이 중소벤처기업청, 중소기업진흥

공단, 소상공인지원공단 등에서 매년 초에 발표된다. 그러한 자금 중에는 저리로 빌리는 자금이 있는가 하면 70%를 정부에서 출원하는 등 소위 공짜자금도 있다. 기술개발 자금이 대표적인 출원자금이다.

초기 자금이 많지 않은 기업들은 최대한 정부의 자금을 이용해야 한다. 정부도 회사가 성장하고 인력 창출을 많이 하여 국가 경제에 이바지하도록 독려하는 것이다. 그러나 가끔 어떤 회사들은 정부자금 자체에 관심을 두고 눈먼 돈이라며 일단 어떻게 해서든지 받으려고 한다. 시장에 대한 자세한 조사에 의한 확신이 없는 아이템을 특허도 내고 포장을 그럴 듯하게 하여 정부 기술개발 자금지원을 받아 시제품도 만들고 홍보도 하지만, 애초에 시장성에 대한 정확한 조사가 미흡했기에 제대로 판매로 연결되지 않는 경우가 많다. 물론 그렇게 해서 지원을 받았더라도 잘돼서 큰 매출을 일으키는 경우도 간혹 있지만 낭비되는 정부자금이 많은 것이다.

어떤 회사는 매해 정부지원 자금에만 의지해 회사를 운영한다. 이런 회사에서 정부지원금에 의해 탄생한 제품이 매출도 올리고 회사를 지탱시키기도 하지만, 전반적으로는 수익성이 떨어지고 겨우겨우 회사를 운영하는 정도다. 매번 자금이 어렵고 큰 도약을 하지 못하는 경우가 많다. 하지만 정부자금은 눈먼 돈이 아니다. 국민들의 혈세이다. 내가 그 자금을 확실성이 없는 아이템에 투자받으면 그 자금이 정말 필요한 곳에 흘러가지 못하게 하는 것이다.

창업을 하면 기본적으로 스스로 모든 것을 만들고 책임져 나가려는 마인드가 필요하다. 자금, 마케팅에 어려움이 닥치면 스스로 해결하려는 자세가 강한 기업, 강한 기업가를 만든다. 정부는 거기에 적당한 지원역할을 하는 곳이다. 전적으로 정부에 의지해서 회사를 운영하려는 것은 회사를 온실 속의 화초로 만든다.

은행에서 자금을 빌리는 것도 최대한 조건이 좋고 저렴한 이자를 쓰는 것이 당연하지만 부채가 너무 많으면 신용에 문제가 생기고 이자에 허덕이게 된다. 철저하게 투자와 미래 수익, 이자를 따져서 비용대비 수익이 큰 경우에 차입을 한다. 너무도 당연한 이야기이지만 그러지 못하는 회사들이 생각보다 많다. 최악의 시나리오까지 가정해서 미래 현금흐름을 예측해야 하는데, 너무 긍정적으로 자금계획을 세웠다가 일이 계획대로 진행되지 않고 상환 기일은 다가와서 발만 동동 구르는 경우를 본다.

레버리지 효과(Leverage Effect)는 타인자본을 지렛대로 삼아 자기자본의 이익률을 올리는 것으로 차입금의 이자 등 비용보다 훨씬 큰 이익이 발생될 때 적극적으로 차입금을 쓰는 원리다. 총부채를 자기자본으로 나눈 것이 부채비율인데, 100%가 보통 적정비율이라고 한다. 부채는 자기자본 금액만큼이 적절하다는 것이다. 하지만 회사의 상황과 소속되어 있는 산업 부분의 흐름에 따라 이 비율은 달라지며, 또한 경영자의 유형에 따라 위험 선호형은 200% 가까이 가기도 한다. 그리고 안정형은 50% 미만의 부채비율을 보이기도 하고 아예 빚이 없이 운영되는 부채비율 0% 회사도 있다. 부채가 없이도 성장하는 회사는 정말 행복한 경영을 하는 것이다. 비용을 충당하고 재투자도 하면서 남는 자금을 충분히 유보하는 수익이 나는 회사는 굳이 차입할 필요를 못 느낀다.

그러나 보통의 회사들은 회사의 발전을 위해서는 차입에 의한 투자가 필요하고 때로는 과감한 투자가 성장을 촉진한다. 이론적으로는 부채에 따른 이자보다 투자를 통해 더 큰 수익을 올릴 경우에는 돈을 빌리는 게 낫다고 이야기한다. 그러나 중요한 것은 투자 대비 기대수익률을 얼마나 정확하게 예측을 할 수 있느냐 하는 것이다.

근래에 점점 경쟁이 치열하고 예기치 않은 상황이 발생될 확률이 높아졌기에 너무 긍정적으로 자금계획을 세워서는 안 되며, 최악의 상황을 가정하고 차입을 해야 한다. 또한 부채비율이 200%를 넘어가면 금융기관에서 대출에 제한이 있으며 신용에 안 좋은 영향을 미친다. 지금까지 많은 회사들이 사업계에서 사라졌는데, 가장 큰 원인은 무리한 차입이었다.

돈을 빌리는 것보다 더 좋은 방법은 투자를 유치하는 것이다. 내가 가진 주식을 주고 대신 그 주식 원금의 2배, 3배 이상을 받는 것이다. 90년대 말 닷컴 열풍으로 많은 신생기업들이 큰 금액의 투자 유치를 받았었다. 정말 말도 안 되는 아이템임에도 IT 사업이라고만 하면 너도나도 돈을 투자했다. 그 당시에 다음커뮤니케이션(현재 주식회사 카카오) 같은 대박 성공사례가 보도되면서 열풍을 부채질했고 몇십 배의 투자 수익을 본 경우도 있었지만 버블이 꺼지면서 많은 사람들이 쪽박을 찼다. 그 이후로 우리나라의 벤처캐피탈이나 엔젤투자자들은 그 전보다 훨씬 더 신중해 졌고 자금유치는 힘들어졌다. 그리고 몇 차례 조정기를 거치면서 지금은 많이 투자 환경이 성숙되었다.

괜찮은 사업 아이템이라면 노력 여하에 따라 자금유치를 받을 수 있다. 사업계획서를 잘 만들고 투자 수익에 대해 확신을 주면 투자를 못할 이유가 없다. 엄청난 부동자금이 은행을 떠나 언제나 고수익 투자처를 찾고 있다. 몇 번 투자자로부터 거절을 당해도 괜찮다. 그러면서 내 사업계획서가 수정되고 사업에 대한 전망이 점점 명확해진다.

필자가 아는 지인의 아들이 최근 대기업 계열사로부터 적지 않은 금액을 투자받은 사례가 있다. 30대 초반의 새내기 사업가인데, 여러 아이템에 대한 분석 후, 하나의 아이템을 확신하고 투자자 유치에 나섰다. 하지만 사업경험도 없고 프레젠테이션 능력도 부족하여 여러 곳에서 고배를 마셨다. 하지만 점점 사업계획과 설득 능력이 향상되었고, 지인의 추천으로 대기업에 프레젠테이션을 하여 사업성에 대해 인정을 받았다. 그 결과 계열사 중의 한 회사에 소개가 되고, 결국 투자를 유치할 수 있었던 것이다. 아마도 초기에 여러 번의 실패 경험이 없었다면 큰 기회가 왔을 때 제대로 설득을 못해서 좋은 투자유치 기회를 날렸을 수도 있었을 것이다.

그동안 여러 해외 사업가를 만나보면서 자연스럽게 우리나라 사업가와 비교가 되곤 하는데, 우리 사업가들은 돈 관리 측면에서는 상대적으로 좀 미지근하다. 내가 만난 가장 철저한 돈 관리를 하는 사업가들은 유대인이었고, 다른 나라 사람들도 우리보다는 대체로 철저한 편이다. 방문한 나에게 최고의 호텔과 식당에 초대하며 돈을 쓰기도 하지만, 때로는 1달러에도 손해를 보지 않고 합리적으로 돈을 쓰려는 태도를 보인다. 처음엔 쩨쩨하게 느껴졌으나, 그들의 돈에 대한 가치관을 알고 나서는 어느덧 따라 하는 나를 발견했다. 그들은 돈에 관한 한 체면보다는 합리가 먼저기에 거래처인 나와 시장에서 구매를 할 때에도 상인과 20센트를 깎기 위해서 긴 시간을 소모하고, 식당에 들어가서 비싸면 다시 나오는 것을 부끄럽게 생각하지 않는다. 시간 낭비라고 생각할 수 있지만, 그들은 서로 더 싸게 사는 경쟁을 하기도 하면서 그것을 즐긴다. 그런 생활화된 돈 관리는 비즈니스에서도 그대로 나타나서 거래를 통해서 돈을 주는 시간에 어김이 없다. 그리고 단 몇 달러라도 아끼려고 건마다 여러 곳의 선적회사에 견적을 받고, 제일 싼 곳에 일을 맡긴다. 그런 철저함 속에 때로는 큰 금액을 절약하기도 하며 돈거래에 있어서 실수가 없어서 돈 때문에 망하는 일이 드물 것임을 짐작할 수 있다.

비즈니스의 핵심은 돈이다. 철저한 돈 관리는 회사를 하루아침에 망하게 하지 않고 그 자세 자체로 인해서 비즈니스를 성장시킨다. 돈에 대한 자세는 비즈니스에 대한 자세와 일맥상통(一脈相通)한다.

생각해보기

- 나는 회계, 재무에 대해 정통하지는 않아도 재무제표만을 보고 유동성, 안정성 분석 등 기본적인 분석을 할 수 있으며 자금의 흐름이 원활한지, 문제가 무엇인지에 대해서 알 수 있는가?
- 나는 자금관리에 있어서는 철저하다는 말을 듣는가? 아니면 넉넉한 마음을 가지고 있다는 말을 듣는가?
- 우리 회사는 매주, 혹은 매월 자금분석이 포함된 결산보고를 하고 있는가?

Chapter 3.
사장의
인격

"능력은 여러분을 정상으로 데려다줄 수 있지만,
인격은 여러분을 정상에 머물게 한다."

– 지그 지글러
(미국의 연설가, 작가, 세일즈맨, 자기계발과 동기부여 전문가)

"기업의 소유주는 사회이다. 단지 그 관리를 개인이 할 뿐이다.
기업에 종사하는 모든 사람은 기업활동을 통한 하나의 운명 공동체이다."

– 유일한
(유한양행 창업자, 기업 사회환원의 선각자)

"세상은 거울과 같다.
사람들과의 관계에서 겪는 문제들 중 대부분은
스스로와의 관계에서 겪고 있는 문제를 거울처럼 보여주고 있다.
밖으로 나가서 남들을 바꿔 놓을 필요는 없다.
우리 자신의 생각들을 조금씩 바꿔나가다 보면,
주위 사람들과의 관계는 자동으로 개선된다."

– 앤드류 매튜스
(호주의 베스트셀러 작가이자 만화가)

남의 이익에 신경 써라.
분배되지 않는 이익은 결코 오래가지 않는다.

– 볼테르
(프랑스 계몽주의 대표적인 사상가)

한순간에 훅 가는 사장들

 사장의 사소한 말과 행동은 회사의 운명을 좌우한다. 아무리 많은 워크숍을 하고 비싼 외부 강사를 불러다 교육하며 메시지를 전하려고 해도 사장이 먼저 그런 사람이 되지 않으면 공염불(空念佛)이 된다.

 회사의 분위기를 만들고 서로 독려하고 목표를 향해 가도록 하는 것은 사장이 솔선수범할 가장 큰 몫이다. 사장이 그럴듯하게 직원들을 단기간 속일 수는 있지만 결국은 직원들에게 그 속마음은, 인격은 드러나게 되어있다.

나태

 평일에 회사 영업이나 기타 사업적 목적이 아닌 골프 등 개인 취미 활동을 자주 가고 전화로만 이렇게 저렇게 지시하는 사장들을 본다. 현장과 내용을 자세히 확인하지 않고 책상에 올라온 보고서만을 보고 판단하여 서명을 하는 사장들도 있다. 이런 사장들은 나태하거나 권한 이양에 대해서 잘못 이해하고 있는 것이다.

사업환경은 시시각각 변화무쌍하며 복잡해지고 있어서 그 내용을 정확히 파악하지 못하고 현장을 확인하지 않으면 잘못된 결정을 할 가능성이 높다. 물론 회사의 규모가 커지고 사업 영역이 다양해지면 적절한 권한 이양을 통해서 조직을 시스템화하는 것이 필요하다. 그러나 그런 경우라도 그 시스템이 정확히 현장을 볼 수 있고 내용을 제대로 파악할 수 있게 되어야 하며, 사장이 종종 현장을 방문하여 시스템과의 차이가 없는지 점검해야 한다. 사장이 올라온 보고서에 날카로운 질문을 통하여 보고서의 가치를 파악해야 하며 현장에 가서 확인해야 한다. 그래야 직원들이 긴장하고 더 정확한 보고를 할 수 있게 된다. 현대그룹의 ㈜정주영 창업자는 현장의 '저승사자'로 불릴 정도로 현장 경영을 한 것으로 유명하다. 권한 이양에는 권한을 맡기고 책임도 지게 한다는 의미 이전에 사장이 궁극적 책임자라는 뜻이 내포되어 있다.

권한 이양은 회사의 규모에 맞게 해야 한다. 더군다나 10인 미만의 소규모 기업이라면 아직은 사장이 모든 부문에 적극적으로 간섭을 해서 분명히 확인하고 넘어가야 한다. 여기서 적극적으로 확인한다는 의미는 직원들의 자율성을 침해하는 것이 아니라 마치 목동이 멀리서도 양들을 유심히 살피듯이 기업 방침에 벗어나거나 잘못된 길로 가는 것을 미연에 방지하기 위하여 결과를 중간중간 체크하는 것이다.

회사가 성장하면서 직원이 많아지면 각 부서의 책임자들만을 확인하면 되고, 더 조직이 커지면 책임자들만을 관리하면 되지만, 그전까지는 전체 직원에 대한 적극적인 관리가 필요하다. 권한 이양과 나태를 구분하도록 하자.

소극적

사업은 신중하게 돌다리도 두드리고 건너야 하지만 어떤 사장들은 너무 신중해서 기회를 잡지 못하고 회사의 성장 타이밍을 놓친다. 시장환경이 경색된 때는 관리 위주의 경영이 필요하지만, 다음에 올 기회를 생각하지 않고 인건비 위주의 경비를 줄여 전면 경색 모드에 들어가면 환경이 좋아질 때에 치고 나가는 힘이 약해진다. 그러다가 다른 회사들이 이미 진을 치고 있는 곳에 막차를 타고 들어가기도 한다. 들어갈 때 늦게 들어간 회사는 나올 때도 소극적이어서 시장이 포화 상태에 이를 때에 경쟁사들이 다 빠져나가고 나면 막차를 타고 빠져나온다. 투자하고 수익을 거둘 타이밍을 못 잡는다.

현재 경영의 가장 큰 특징이자 핵심 단어를 들라면 '스피드'이다. 기술발전 속도가 광속이고 영향을 미치는 변수가 많아 의사 결정과 추진 속도가 느려서는 항상 막차를 탈 수밖에 없다. 고객을 대함에도 이런 환경에 맞추어 고객이 빠른 결정을 할 수 있게 최대한 신속하게 문의 사항이나 요청에 대한 답을 주는 것이 중요한 경쟁력이 된다.

나도 해외의 대기업 거래를 개척할 때에 전화나 이메일로 온 요청을 24시간 이내 답한다는 원칙을 세우고 빠르게 대응을 해서 대기업 경쟁자를 제치고 거래를 성사시킨 경험이 있다. 시차 때문에 어느 때에는 새벽에도 일어나 답장을 해주기도 했다. 당시 고객사 담당자의 말로는 경쟁업체에서는 답장이 오는데 2~3일 걸리는데, 우리는 하루면 답장이 와서 너무 일하기 편했다는 얘기를 들려주었다.

회사에 어떤 문제가 발생했을 경우도 신속한 해결로 피해를 최소화하는 사장이 있는가 하면 이런저런 분석에 너무 많은 시간을 소모하여 더 큰 피해를 본 사장도 있다. 신중한 것은 중요한 덕목이지만 스피드가 동시에 구비되어야 한다. 특히나 작은 기업은 스피드를 가장 우선시해야 한다.

근래 인터넷, AI, 빅데이터 등의 기술로 말미암아 급성장하는 기업들이 나오는데, 이들 기업은 당장의 수익성보다 적극적인 고객 확보를 우선시한다. 이후에 확보된 고객을 대상으로 각종 비즈니스를 전개하여 수익을 내서 이전의 손해를 상쇄하고 큰 수익을 남긴다.

어떤 사장은 연쇄적으로 창업을 하기도 하는데, 최소한의 비용으로 실험적 창업을 하여 그중에 하나의 사업을 성공시켜 나머지 비용을 상쇄하고도 많은 수익을 내기도 한다. 사업 타당성 검토, 사업계획서, 직원채용, 계약, 재무결정 등 신중함이 필요한 것들이 있지만 너무 소극적이어서는 안 된다. 사업 분야마다 차이는 있지만, 실패를 너무 두려워하는 것보다 작은 실패 후 반성을 통해 재도약하는 것이 더 좋은 분야가 점점 많아지고 있다. 신중한 것은 대단히 중요한 것이지만 소극적인 것과 분명히 구분하도록 하자.

독단

소극적인 사장들과는 반대로 앞뒤를 가리지 않고 불도저식으로 밀어붙이는 사장들도 있다. 다른 사람들과 직원들의 의견을 경청하기보다 독단적 경영으로 혼자의 생각과 판단으로 결정을 하고 지시한 대로 되지 않으면 문책을 하는 사장들이다. 얼핏 보아서는 카리스마가 있는 사장으로 비칠 수 있고 배가 산으로 가는 것을 막는 역할을 한다고 생각할 수 있지만, 독단은 카리스마와는 구별되며 조직을 잘못된 방향으로 인도할 가능성이 많다.

우리나라가 70·80년대 개도국으로서 국가차원에서 경제개발에 박차를 가하고 공급이 수요를 쫓아가지 못하는 고도 경제성장 시기에는 이러한 유형의 사장들의 덕목이 단점보다는 장점으로 작용을 했다. 하지만 현재는 상황이 많이 다르다. 인터넷 기술의 발달로 누구나 관심이 있으면 혼자서 어느 분야든 일정 수준의 지식을 얻을 수가 있으며 분야에 따라서는 전문가 수준의 지식을 갖출 수가 있다.

회사는 빠른 속도로 변화하는 기술과 소비자의 트렌드를 따라가기가 버겁다. 따라서 될 수 있는 한 더 많은 사람들의 의견을 듣고 아이디어를 취합하는 것이 유리하다. 오픈이노베이션(Open Innovation –

기업이 필요로 하는 기술과 아이디어를 외부에서 조달하는 한편 내부 자원을 외부와 공유하면서 새로운 제품이나 서비스를 만들어내는 것)으로 사내에 모든 사람들의 의견을 모으는 것을 넘어서 사외의 일반 대중의 의견과 아이디어를 통해서 기술개발과 회사의 혁신을 도모하는 사례가 늘어나고 있다. 따라서 이러한 상황에서 다른 사람의 의견을 듣는 것을 무시하면 안 된다. 한 사람의 생각과 판단으로 결정하고, 또 추진과정에서도 모니터링을 통해 계속해서 판단을 제고하지 않은 채 밀어붙이기만 해서는 자칫 회사 전체를 낭떠러지에 떨어뜨리는 잘못을 범하기가 쉽다.

적극적인 사장은 모든 경우의 수를 검토하고 직원들의 의견을 경청한 후 확신이 들면 진취적으로 추진하는 사람이다. 불도저 같은 추진력도 근거가 있는 확신에 바탕을 두어야 한다.

스트레스

어떤 사장들을 보면 회사에 대한 걱정으로 잠을 잘 못잔다. 회사가 어려우면 당연히 고민이 될 것이지만 과도하게 걱정을 하여 피로를 가중한다. 그리고 컨디션이 좋지 않으면 일도 잘 안 되어서 악순환이 이어진다. 인생의 모든 것이 그렇지만 사업을 할 때도 정신적인 면이 중요하다. 비슷한 정도의 회사에 유사한 어려움이 있는 두 사장이 있다. 하지만 한 사장은 긍정적으로 활기차게 다니면서 잠도 잘

자는가 하면, 또 다른 사장은 항상 얼굴에 온갖 수심이 가득하고 신세 한탄만을 한다. 회사의 미래 상황을 고려하지 않더라도, 누가 인생을 잘살고 있는지는 명확하다. 후자의 사장은 회사도 잃고 건강도 잃을 가능성이 높다.

그러면 어떻게 스트레스를 줄이면서 사업을 할 수 있는가? 각자의 상태와 상황에 따라 다르다. 먼저 본인 스스로 스트레스를 많이 받는 스타일인지 자각하는 것이 우선인 것 같다. 그런 다음 적극적으로 해법을 찾아야 할 것이다.

정 모 사장은 운동으로 스트레스를 푼다. 전에는 친구를 불러내어 늦게까지 술을 마시면서 스트레스를 풀었으나 다음날 늦게 일어나게 되고 건강도 안 좋아져서 병원을 몇 번 왕래한 뒤로는 이래서는 안 되겠다는 다짐을 했다. 지금은 아무리 바빠도 6시에 퇴근을 해서 헬스클럽에서 1시간 정도 운동을 하고 집에서 가족과 함께 저녁을 먹고 있다. 대신 아침에 1시간 일찍 출근하여 시간을 보충하고 있다. 그러다 보니 가족이 더 화목해지고 사업도 잘되는 것을 보았다.

김 모 사장은 추진력이 좋은 전형적인 낙천가이다. 아니 그의 말로는 그렇게 되도록 노력을 많이 했단다. 원래는 소극적이고 사업상 사람들을 만나면 스트레스를 많이 받는 성격이었다고 한다. 하지만 사람을 통해서 비즈니스가 이루어지는 것을 깨닫고 오히려 더 사람들의 모임에 참석하고, 많은 사람들과 교류하며 그 경험을 통해서 자신의 성격을 고쳤다. 특히 정부 부처 관계자들과의 만남이 많고 인맥관리를 잘해서 정부기관이 주요 거래처가 되어 안정적으로 회사를 운영하고 있다. 그의 수첩은 항상 스케줄로 빽빽하고 이런저런 어려움을 얘기하지만, 항상 웃고 짜증이나 심각한 모습을 본 적이 없다. 수양이 된 것이다. 그래서 그런지 사업도 잘되어 안정적으로 운영되고 있고, 근래 사업 다각화 차원에서 어려움에 처한 회사 하나를 인수하여 그 회사의 정상화를 위해서 노력하고 있다.

스트레스 관리를 위해서는 무엇보다 잠을 잘 자는 것이 중요하다. 그리고 그날의 스트레스는 그날 푸는 것이 좋다. 잠을 잘 때는 걱정, 불안, 화 등의 안 좋은 생각을 안고 자지 말자. 한 가지 방법은 자기 전에 홀로 조용히 묵상을 통해 그날을 정리하면서 반성할 것은 그때 끝내고 누워 잘 때 뒤척이면서 하지 말자. 자기 전의 행위가 그대로 잠에 영향을 끼치기 때문이다.

스트레스를 줄이는 데에 긍정적 생각이 중요하다. 어떤 일이 닥치면 자기의 생각이 어떤 방향으로 전개되는지를 점검하여 부정적인 생각을 긍정으로 바꾸어 주자. 생각의 전환을 통해 일이 재미있어지고 문제를 해결도 더 잘되는 것을 볼 수 있다.

운동과 더불어 서예, 바둑, 그림 등의 정적인 취미를 하나 갖는 것도 좋다. 너무 많은 시간을 소요하여 사업에 지장을 주지 않는 범위에서 적당한 것을 선택하여 꾸준히 해보자. 많은 도움이 될 것이다.

중독

맥주 한 캔(250㎖)을 매일 빠지지 않고 마시면 알코올 중독으로 진단을 내린다고 한다. 하루 마시는 양이 적고 알코올 함량도 적지만 반복적으로 마시는가가 중독을 판정하는 기준이라고 한다. 어느 병원에서는 알코올 중독 진단으로 다음 중 2가지 이상에 해당하면 의심된다고 한다.

술을 끊어야겠다고 생각한 적이 있다.
술로 인해 주위의 비난을 받은 적이 있다.
술로 인해 죄책감을 느낀 적이 있다.
아침에 일어나자마자 술을 찾게 된다.

그렇다면 아마 이것을 보는 많은 독자들이 나도 알코올 중독이 아니냐고 생각을 할 것이다. 내 생각에는 본인의 의지로 조절할 수 있느냐로 판단하는 것이 좋다. 지금은 술을 거의 마시지 않지만, 이 진단을 토대로라면 나도 과거에는 알코올 중독이었다. 그때의 많은 분들이 정말 술을 많이도, 자주 마셨다. 내가 대학 다닐 때는 교정의 잔디가 막걸리를 마시고 큰다는 우스갯소리를 하기도 했다.

요즘에는 사람들이 그때같이 술을 많이 먹지는 않는 것 같다. 회사의 회식 때도 선배가 술을 권하면 무조건 마셔야 한다는 구습도 점점 사라지고 있다. 하지만 아직도 술을 많이, 자주 마시는 사장들을 본다. 본인이 워낙 술을 좋아하고 몸이 잘 받아서 마시는 사람들도 있지만, 사업이 어렵고 스트레스를 받으니 술을 찾는 것이다. 하지만 사장은 항상 몸과 정신을 맑게 해야 한다. 일을 마치고 가끔 한 번씩 친구들과 격의 없이 술을 마시며 스트레스를 푸는 것은 도움이 된다. 거래처와 관계를 돈독히 하기 위해 식사하고 간단히 술을 마시는 것도 나쁘지 않다. 하지만 그 빈도가 너무 잦으면 자칫 중독현상이 일어나서 술을 마시지 않고는 잠을 못 이루는 지경까지 갈 수도 있다. 스트레스를 적당한 술과 함께 사람들과 대화하면서 푸는 것은 좋지만, 술 자체로 내 뇌의 신경을 잠시 무디게 하려는 것은 지양해야 한다. 그것이 반복되고 점점 더 강한 알코올이 필요하게 될 수도 있기 때문이다.

이에 대한 대안으로는 취미활동이 좋은 스트레스 해소법이다. 취미 중에서도 헬스클럽을 이용하거나 걷기, 달리기 등 운동으로 푸는 것이 제일 좋다고 생각한다. 다른 취미활동을 할 수도 있지만 사장은 머리를 많이 사용할 수밖에 없으므로 몸을 움직이는 것으로 스트레스가 잘 풀어진다. 술이 과하게 되면 몸을 망칠 수가 있고, 다음 날 영향을 주며, 그 횟수가 잦아지면 기억력 감퇴와 같은 지능저하현상도 일어날 수 있다. 거래처 접대도 될 수 있는 한, 술 접대보다는 좀 더 창의적 방법을 생각해보고, 그것 없이도 거래할 수 있도록 회사의 경쟁력을 키우는 것이 장기적으로 바람직하다.

한편 스마트폰 중독도 근래에 사회문제의 하나로 대두된 심각한 중독의 유형이다. 이제는 식당에 가면 유아들도 스마트폰을 보고 성인처럼 잘 다루는 것을 보고 있노라면 한창 부모와 교감을 할 시기에 기계와 교감을 하니 아이들의 정서 발달이 어찌될지 우려된다. 초등학생, 청소년들도 다들 스마트폰을 소유하고 있어서 길을 걸을 때도, 밥을 먹을 때도 게임이나 동영상 등 무언가를 들여다보는 것이 일상이 되었다. 정서적인 교감은 물론이고 사고하고 판단하는 능력을 기를 시기에 충동적이고 순식간에 지나가는 화면과 주로 대화하고 있으니 상상하고 깊이 사색하는 기회가 많이 줄어드는 것이다. 특히 스마트폰으로 제공되는 콘텐츠들은 상업적인 것이 많아서 더 오래, 반복적으로 사용하게 만든다.

　필자의 아들에게는 중학교 3학년이 돼서야 스마트폰을 사주었다. 학교에서 허락하지 않았기 때문이다. 초등학생들도 스마트폰을 전부 가지고 있다며 불평을 했지만 될 수 있는 한 시간을 내서 같이 놀아주고 스마트폰의 폐해에 대한 책과 동영상도 보여주면서 달랬었다.

　선진국들은 오래전부터 스마트폰에 대한 규제와 교육을 실시해 오고 있으며, 프랑스의 경우 중학교까지는 학교에서 스마트폰을 사용할 수 없도록 제도화하고 있다. 삶의 질의 측면에서는 스마트폰이 유용하지만, 아직 이성과 판단력이 부족한 미성년자에게는 제도적인 관심과 적절한 규제가 필요하다.

또한 성인들이라고 안심할 수 있는 상황도 아니다. 나의 경우를 보면 스마트폰은 절제하지 않으면 많은 폐해를 주는 도구이다. 스마트폰은 사업을 하는 데에 정말 유용한 도구다. 해외업무가 많은 나로서는 회사 외부에서 이메일을 주고받고 스케줄 관리를 하며 어려운 영어 단어를 번역하고 중국어 등 제2외국어 도움도 받는다. 외국 출장 시 GPS를 이용해 길을 잃어버릴 염려도 없다. 요즘엔 웬만한 문서를 길에서 작성하여 바이어에 보낼 수도 있다. 이 작은 것은 이제 내 주머니에 들어가는 컴퓨터나 다름없다.

한번은 이런 일도 있었다. 필자는 유튜브(Youtube)에서 처음엔 필요한 자료를 찾아보고 유명한 기업인의 인터뷰 등 유익한 콘텐츠를 보면서 문명의 신기원(新紀元)을 누렸었다. 그런 식으로 재미있는 영상이나 스포츠를 클릭해서 보며 즐기는 시간이 늘어나기 시작하더니, 나중에는 내가 재미로 본 동영상과 유사한 맞춤형 동영상이 화면에 계속해서 나왔다. 그리고 그 유사 콘텐츠를 연이어 검색·시청하다가 상당한 시간을 허비하곤 했다. 심지어 자기 전에도, 회사에서 휴식을 할 때도, 유튜브 동영상 삼매경에 한동안 빠져 지내다가 어느 날 갑자기 정신이 갑자기 번쩍 들었다. 그 많은 동영상에 헌신한 시간이 나한테 어떤 유익이 있었는지를 생각해보니 시간 낭비가 많았다고 자각한 것이다. 그리고는 굳은 결심이 필요했다. 꼭 어떤 자료를 찾거나 유명한 인물들의 인터뷰 같은 유익한 동영상 위주로 보고, 가끔 기분전환을 위해서 스포츠 등을 볼 때는 일정한 시간을 정해서 보기로 했다.

유튜브도 그렇지만 뉴스, SNS 등 스마트폰을 적절히 절제하지 않고 옆길로 새면 자신도 모르게 상당한 시간을 유용하지 못한 내용에 허비할 수 있기에 성숙한 어른도 조심해야 한다. 상업적인 기술에 내가 희생당하기가 쉬운 환경이다.

현재의 환경은 스마트기기를 사용하면서 사고력을 키우는 노력을 동시에 해야 한다. 하지만 스마트기기에서 발산되는 단편적 메시지들의 홍수는 차분하게 한 이슈에 대해서 숙고할 기회를 앗아간다. 예컨대, 2021년이 시작되자마자 극단적인 메시지가 담긴 SNS를 무비판적으로 받아들인 시위대에 의해 미국 의사당이 점령을 당한 초유의 사태가 그 사례다. 지금은 한 개인에 의해서도 잘못된 사고가 그대로 대중에게 노출되고 확산될 수 있는 환경임을 인지해야 한다.

TV도 시간을 잡아먹는 하마가 되기 쉽다. 나는 한때 퇴근하고 집에 가서 밥을 먹자마자 침대에 누워 리모컨으로 여러 채널을 몇 시간씩 돌려보는 취미가 있었다. 어떤 사람들은 드라마에 한 번 빠지면 끝까지 봐야 직성이 풀린다. 한 회에 1시간 방영하는 드라마 15부작을 휴일에 온종일 몰아서 보기도 한다. TV를 이용하여 여가를 즐기는 것이 아니라 TV의 늪에 빠진다. TV도 유익한 프로가 많고 여가를 즐기기에 좋다. 하지만 절제하지 않으면 많은 시간을 허비할 수가 있다. 가족과 산책을 하거나 자녀와 놀아주든지, 부족한 독서를 할 시간을 뺏긴다.

현재 우리 집에는 TV가 없다. 오래전엔 있었으나 나부터가 시간 조절을 잘하기가 힘들어 고민하고 고민하다가 아예 없앴다. 뉴스와 다큐멘터리만 본다고 굳게 맹세했지만, 잘 지켜지지 않아서 정작 집에서 책을 읽을 시간이 없었다. 그래서 아내와 상의했고 아내도 내 행태에 불만이 많았던지라 환영을 했다. TV가 없으니 자연스럽게 책을 보게 되고, 더 운동을 하게 되고, 가정에 더 신경을 쓰게 되었다.

또 어떤 사장은 돈을 좀 벌자 해외에 골프관광을 갔는데 카지노에서 재미로 카드판에 끼었다가 큰돈을 잃는 경우도 있다. 그리고 아예 중독되어서 사업은 뒷전이고 한 달에 몇 번이고 가서 사업 자금까지 다 탕진한 것을 보았다. 아예, 사설 도박판에 가서 도박을 하다가 돈도 잃고 사업체도 날리는 경우를 언론에서 본다. 오랫동안 피땀 흘려 번 돈을 한순간의 실수로 날리거나 도박중독자로 살게 된다.

필자가 미국 네바다주의 라스베이거스에서 열리는 전시회에 참가할 때 카지노에 자주 간다고 했는데, 슬롯머신은 기계적인 것을 반복해서 재미가 없었고 카드게임은 여러 나라 사람들과 두뇌게임을 하는 것이 재미있어서 갈 때마다 한 번씩은 한다. 그런데, 이미 말했다시피 그럴 때마다 나 나름의 룰(rule)이 있다. 처음부터 금액의 한도를 정해서 그 한도가 차면 더 이상 미련없이 자리를 뜨고 그곳에 있는 동안은 더이상 안 하는 것이다. 한도를 정하지 않고 하다가 점점 절제력을 잃고 생각지 않은 돈을 써버린 경험이 있어서 그렇게 하는 것이다. 그렇지 않으면 아마 가지고 있는 모든 돈을 잃을 수도, 카드를 긁어서 훨씬 많은 돈을 잃을 수도 있다. 배팅을 적게 하고 최대한 머무르면서 사람들과 대화도 하며 사람들의 심리를 읽는 재미를 느낀다. 다 잃어도 큰돈이 아니니 부담되지 않고 즐길 수 있는 것이다.

일도 너무 과다하면 독이 될 수 있다. 유명한 사장들이 본인들을 '워커홀릭(Workaholic)'이라고 스스로 평하는 것을 자주 보는데, 나는 그들이 보통은 일 중독 정도까지는 아니고 일을 너무 열정적으로 한다고 표현하고 싶다. 그들이 일 중독이었으면 사업 도중에 무리를 해서 중도 하차하거나 건강을 잃어서 그 정도의 훌륭한 사업체를 일구지 못했을 것이다. 일 중독이었으면 사람들에게 적절히 권한 이양을 못해서 조직에 문제를 일으켰으며, 아집(我執) 때문에 정확한 판단을 못했을 것이다.

그들은 일을 즐기고 성공에 대한 열정으로 자연스럽게 일을 많이 했고, 때로는 밤을 새면서 일을 했지만 건강을 잃을 정도로 몸을 혹사하지는 않았고, 그로 인해 정신이 멍한 상태에서 결정을 하지 않았다. 어찌 보면 온 기회를 놓치지 않고 살리기 위해 단기간 많은 일을 한 것이고, 회사가 정착한 이후에는 속도를 조절하고 효율적으로 일하면서 계속해서 성장하고 있는 것이다.

우리가 경계해야 하는 것은 일을 집중적으로 할 적절한 타이밍에 하기보다 일 자체에 너무 몰두한 나머지 객관적으로 판단을 못하고 일의 경중(輕重)을 잊는 것이다. 회사가 정착되어 조직을 업그레이드 시켜 제2의 성장이 필요한 시점에도 주위의 조언에 귀 기울이지 않는다. 적절한 권한 이양으로 조직을 체계화하지 않고 스스로 일 자체에만 몰두한다. 이런 사장은 사업환경이 유리한 때에는 단기간에 회사를 정착시키는 데에 힘을 발휘할 수도 있지만, 불리한 환경도 겪으며 장기적으로는 계속해서 성장을 지속하려면 자신의 일에 대한 태도를 변화시켜야 한다. 근시안적인 결정을 내리고 건강에 문제가 생겨 회사가 위험해질 수 있다. 차라리 사장 자리를 적합한 사람에게 물려주고 R&D 등 자신이 좋아하는 일에 몰입하는 것이 전체 조직을 위해서 좋다.

그 이외에도 이성과의 잘못된 관계를 이어가는 사장이 있다. 사업을 하면 많은 이성과 접촉을 할 수밖에 없는데, 가족을 지키고 배우자 이외에 다른 이성과의 관계에 정확히 선을 긋는 단호한 자세가 필요하다.

필자가 직장 생활을 할 때, 국내 최고의 학부를 졸업한 동료가 결혼한 지 얼마 안 되어 배우자 몰래 거래처 여성과 밀회를 하는 위험한 숨바꼭질을 하다가 발각되었다. 회사에서도 이를 알게 되었고 결국은 회사를 그만둔 것을 보았다. 불륜도 문제거니와 숨바꼭질 데이트에 너무 신경을 써서 그런지 업무 성과도 너무 안 좋아서 본인도 더 이상 버틸 수 없었던 것이다.

얼마 전 미투 운동이 불길처럼 번져 나가서 하루아침에 명예를 잃고 가정이 파괴되는 경우를 볼 수 있었다. 오래전에 잠깐 실수한 행동이 결정적인 순간에 나를 옭아매는 올무가 되어 찾아올 수 있다. 이성은 나와는 다른 차이로 인해서 나를 보완해 줄 수 있는 소중한 파트너다. 이성과는 이성(異性)적인 매력이 아닌 동료, 거래처로서의 매력에 빠지자.

스포츠도 과하게 하면 오히려 스트레스를 더 유발하고 과도한 시간을 소모할 수가 있다. 특히, 골프는 비즈니스의 필수 스포츠로 자리매김했는데, 문제는 비즈니스와 취미를 넘어서 과도하게 하면 자연히 사업할 시간이 부족하게 된다는 점이다. 한 사장은 내기 골프에 빠져서 자주 골프장을 가다가 사업을 소홀히 해서 회사가 큰 어려움에 처했다. 또다른 사장은 해외 골프장에 자주 가고, 갈 때마다 술을 많이 마셨으며 2차까지 가는 바람에 허리 디스크에 걸려서 사업도 망하고 몸도 망쳐서 고생하고 있다. 다른 운동들과 마찬가지로 사업, 건강을 위한 수단으로 적절한 시간을 할애하면 좋지만, 주객(主客)이 전도(轉倒)되어서는 안 된다.

사장은 한 가정을 책임지고 있음과 동시에 한 기업을 책임지고 있다. 그에게 딸린 처자식과 직원들을 생각해서라도 철저히 자신을 다스려야 한다. 공인으로서 처신을 올바르게 해야 직원들도 본받는다. 자신이 무언가에 중독되어 있으면 직원들도 귀신같이 알아채고 업무

성과에 그대로 반영된다. 그런 사장을 위해서 열심히 일하기가 쉽지 않고 회사의 안위부터 먼저 걱정할 것이다.

여기에서 언급한 중독들의 기준은 평소에 우리가 알고 있던 것보다 더 엄격하다는 것을 느꼈을 것이다. 중독까지는 아니더라도 사장은 항상 맑은 정신과 올바른 마음가짐을 가져야 어떤 상황에도 올바른 판단을 할 수 있고 체력이 따라주지 못해서 진취적으로 일을 못하는 우(愚)를 범해서는 안 되겠다.

우울

얼마 전 모 정치인이 자살했다. CNN 뉴스를 보는데 그 사건을 비중 있게 다루면서 우리나라는 OECD 국가 중에서 자살률이 1위라는 말도 덧붙였다. 그 뉴스에서 정치인 자살보다는 OECD 1위의 자살률이 회자되는 것이 더 눈에 띄었다. 오늘도 우리나라에서 10여 명의 소중한 생명이 사라진다.

자살은 극도의 우울 증세가 동반된다. 우리는 희로애락(喜怒哀樂)과 더불어 산다. 기뻐함이 오래가지 못해 화가 나는 상황이 닥치며 얼마 가지 않아 슬픔을 느끼다가도 곧 즐거움을 맛본다. 모든 것이 완벽한 파라다이스 같은 곳을 꾸며놓고 그곳에서 죽을 때까지 살면 기쁨과 즐거움만 있을까? 그곳에서는 모든 화나는 상황과 슬픔을 가져오는 상황이 없다면?

그러나 그렇더라도 우울증세는 없어지지 않는다고 생각한다. 매일 파티를 열고 떠들썩하게 즐기기를 반복하면 오히려 우울 증세가 심해지기 쉽다. 인간의 감정은 미묘해서 매일의 파티보다 적당한 기분 전환이 오히려 더 즐거움을 지속하게 만든다.

우울하다는 것은 의기소침하다는 것이고 여기에는 개인마다 여러 가지 이유가 있다. 자주 만나던 친구가 외국에 이민 가면 우울해진다. 이번 인사이동에서 동기들은 승진했는데 나만 떨어지면 우울해진다. 월요일 아침에 회사에 갈 때 우울해진다. 열심히 공부했는데, 점수가 잘 안 나오면 우울해진다. 잘 다니던 회사가 부도가 나서 실업자가 되면 우울해진다. 쳇바퀴 같이 돌아가야 하는 생활을 생각하니 우울해진다. 이번 달 월급으로 생활비를 다 해결하고 한 푼도 저축을 못한다는 생각을 하니 우울해진다.

우울은 슬퍼하는 것이고 대성통곡하는 것이 아니라 마음으로 우는 것이다. 그 기간이 길어지면 의학적인 병인 우울증이 생긴다. 몸이 아프면 약을 먹고 병원에 가는 것처럼 우울증이 생기면 치유받아야 한다.

그 슬픔의 원천은 무엇인가? 그 슬픔은 내가 스스로 만드는 경우가 많다. 상황이 나를 슬프게 하지만 내가 그 상황에 슬프게 반응하는 것이다. 물론 처음 얼마 동안 슬픔은 당연하고 그것이 건강한 것이다. 그러나 계속해서 슬퍼하면 병이 된다.

단짝 친구가 외국에 이민 가면 우울해진다. 그러나 그만 아쉬워하기를 그치고 그 친구가 그곳에서 잘 되기를 기원하고 그 친구의 앞날을 축복하며 그동안 함께 즐거웠던 시간을 감사하게 생각하면 어떨까? 사귀던 이성과 헤어지면 슬프겠지만 상대방의 잘됨을 기원하고 또 다른 만남을 기대하면 어떨까? 인사이동에서 승진을 못하면 아쉽겠지만 승진을 한 사람들을 축복하고 자신의 부족함을 인정하며 다음 기회를 위해서 더 열심히 하자고 다짐하면 어떨까? 상황에 따라가기보다는 자신의 감정을 스스로 만들어 보자.

우울은 감사하는 마음과 연관이 깊다. 월요일 아침에 갈 회사가 있다는 사실에 감사하자. 열심히 공부했다는 그 자체에 감사하자. 많은 것을 알게 되었고 다음 도전에서 더 많이, 깊이 배울 것이다. 최선을 다했지만 회사가 부도가 났다면 그 경험에 감사하자. 철저한 피드백을 통해서 부도가 나지 않는 법을 터득한 것이다. 다시 시작할 수 있다. 쳇바퀴 같이 돌아가야 하는 생활을 할 수 있음에 감사하자. 일정한 패턴이 있는 생활이 심신에 이롭다. 생활이 들쑥날쑥한 것은 잠깐의 재미를 줄 뿐이고 무엇이든 꾸준히 해야 성공한다. 이번 달 월급으로 생활비라도 해결할 수 있음에 감사하자. 그러지 못하는 사람들도 많이 있다. 그리고 그것을 기반으로 저축도 할 수 있도록 노력하자.

"세상이 그대를 슬프게 할지라도 결코 슬퍼하거나 노여워하지 말라"

푸시킨의 말처럼 원래 그런 것이고 그것이 진정한 인생이다. 우울이 들어오는 통로를 막고 내 마음을 바꾸자. 일상에 감사하고 어떤 사건에도 불구하고 감사하는 체질을 만들자.

 생각해보기

- 나는 사업에 임해서 최선을 다하고 결과를 담담하게 받아들이는가? 아니면 최선도 다하지 않으면서 안 좋은 결과에 충격을 받고 걱정하기만 하는가?
- 나는 술, 스마트폰, TV, 도박, 스포츠, 이성 등 무언가에 지나치게 몰두해서 사업과 가정을 챙기는 데에 소홀하지 않고 있는가?
- 무엇에 장기간 슬퍼하고 있나? 그것을 근본적으로 개선하기 위해서 인지전환(認知轉換)이나, 혹은 지인에게 털어놓고 조언을 구하는 등의 노력을 하고 있는가?

나누는 것으로 삶을 유지한다

미국은 세계의 경찰국가로서의 역할을 하면서 2차대전 이후로 초강대국으로 군림해왔다. 개방된 이민 정책과 풍부한 기회 요인으로 세계의 인재들을 흡수하면서 그 지위를 계속해서 유지하고 있으나, 근래에 보호주의 무역 정책을 넘어 국수주의로 나아가는 것이 내 눈살을 찌푸리게 했었다. 미국의 힘은 자유주의 무역과 개척정신에서 나온 것인데, 이것을 잃어버리는 것이 아닌지 우려되었었다.

그러나 아직도 미국의 힘이 살아있음을 보는 것 중의 하나가 바로 기업들의 사회적 책임이다. 알 만한 거대 기업 창업자들의 기부가 큰 재산에 비해 미미한 수준이 아닌, 거의 전부, 혹은 절반 등도 종종 이슈가 되고 사회적으로 올바른 행위가 릴레이같이 이어지는 것이 진정한 미국의 힘이 아닌가 생각한다.

다행인 것은 우리나라 기업인들도 최근에 사회적 책임을 중시하고 통 큰 기부를 하는 것을 보면 다행이라고 생각하지만, 아직 미국과 같이 전반적인 문화로는 퍼지지 않은 것 같다. 하지만 이제는 회사 홈페이지들을 보면 많은 기업들이 CSR(Corporate Social Responsibility -

기업의 사회적 책임)에 최소한 관심을 기울이고 있음을 볼 수 있고 대기업들은 사회복지재단을 운영하고 있어서 최소한 사회에 대한 관심이 전과 같지 않다는 것은 분명한 것 같다.

얼마 전 '배달의 민족'을 만든 김봉진 대표와 '카카오' 김범수 의장이 재산의 절반(각각 5천 억, 5조)을 기부하기로 약속하면서 보여주기식 기부와 다른 행동을 보여주었다. 작고한 삼성그룹의 이건희 회장도 수조 원의 사회 기부로 재벌기업의 다른 면을 보여주었다. 또한 작은 기업들도 요즘엔 나름대로 착한 실천을 하고 있는 것을 본다. 분명한 것은 다른 나라 사례를 봐도 CSR을 잘하는 기업들이 계속해서 성장을 유지해 나가고 있다. 작은 기업이라도 거둔 이익을 사회에 조금이라도 환원하려는 마음이 있는 사장에게 사회는 후한 마음으로 수익을 더 크게 돌려주는 것이다.

우리 사회에는 넉넉하게 큰 어려움 없이 사는 사람들이 있는가 하면 경제적으로 어려운 이들도 있다. 큰 병에 걸려서 병원비를 감당하기 힘든 사람들도 있고 부모를 여읜 아이들, 돌봐 줄 마땅한 보호자가 없는 노인들, 학업이 우수한데 진학이 어려운 학생들, 자금이 없어서 좋은 아이디어를 과감하게 추진하지 못하는 청년들 등을 아직까지는 정부에서 전부 흡족하게 도와주기는 어렵다.

눈을 해외로 돌리면 사정은 더 열악하여 2013년 통계를 보면 약 8억 명의 사람들이 기아에 허덕이고 있으며 아프리카 사람들의 24%

가 기아 상태에 있고 어떤 나라는 인구의 50%가 영양결핍 상태에 있다. 의료, 교육 등은 더 열악하다. 이 사람들도 크게 보아서 우리 사회의 한 부분이고 도와주어야 할 사람들이다.

사업의 목적이 무엇인가? 'Chapter2'의 소제목인 '사업 철학'에서 언급했듯이 이윤을 많이 남기는 것, 대기업을 만드는 것, 그 분야에 이름을 남기는 것도 좋지만 한 걸음 더 나아가야 한다. 기업이라는 배가 매일 그 목적을 향해서 간다고 했을 때, 올바르고 타당한 목적은 당연히 중요하다. 회사의 종업원들도 회사의 좋은 목적을 위해서 일할 때 더 신나고 보람되게 더 열심히 일할 것이다.

각종 실험이나 전문가들의 결론에 의하면 사람은 물리적인 보상보다 올바른 가치관을 향하는 마음이 더 동기부여가 된다고 한다. 내가 열심히 일한 것이 나의 승진과 보상에 도움이 되지만 더 나아가서 회사가 하는 사회적인 공헌에 기여를 한다면 보람과 더불어 진정한 열정이 생길 것이다. 사회에 공헌을 잘하는 회사가 훨씬 더 오래 지속되는 이유가 여기에 있다.

만일 무엇부터 할지 모르겠고 어떻게 해야 되는지 모르면 NGO 단체들을 추천한다. 잘 알려진 '유니세프'나 '월드비전' 등 빈곤국가 사람들을 도와주는 단체들도 있고 국내의 어려움에 처한 사람들을 도와주는 단체도 있다. 그곳에 연락해서 매월 일정 금액을 정기적으로 후원하는 간단한 방법이 있다. 여유가 되면 더 많은 금액을 후원할 수 있고 다양한 단체를 후원할 수 있다. 근처의 아동 보호시설이나 양로원 등에 물품을 전달하든지 직원들과 함께 봉사하는 시간을 가질 수도 있다. 직원들과 함께 참여함으로써 사회의 일원으로서 기여한다는 자부심을 느낄 수 있으며 직원들의 단결심 등이 배가된다.

하지만 직원들에게 동기부여를 한다는 목적만을 가지고 해서는 안 된다. 그것은 부수적인 결과물이지 목적이 되어서는 안 된다. 직원들도 그것을 느낄 수 있을 것이다. 반드시 사회로부터 받은 이익으로 사회적 약자들을 도와준다는 순수한 마음이 되어야 진정한 동기부여를 얻을 수 있을 것이다. 무엇보다 본인부터 따뜻하고 넉넉한 마음을 갖게 된 것을 가장 큰 혜택으로 꼽을 수 있다.

필자 회사도 사회사업 재단이나 NGO 단체 몇 곳을 선정하여 정기적으로 후원하고 있는데, 더 열심히 일할 수 있는 동인(動因)이 된다. 직원들과 고아원을 방문하여 선물을 나누어주며 같이 놀아주고 올 때 뿌듯한 보람이 느껴지며 회사의 분위기가 한결 더 좋아짐을 느꼈다. 많은 시간이 소요되는 것이 아니라 한 달에 한 번, 반나절 일을 안 한다고 회사의 업무에 큰 공백은 없다.

기업도 사람과 같아서 움켜쥐고 나만의 행복, 우리 가족만의 여유로운 생활을 위해서 회사를 운영한다면 혼자서 성장할 수 없다. 분명히 성장에 한계가 올 것이고, 우선적으로 사장 자신의 마음이 강팍하여 건강에도 안 좋으며 자녀들의 교육에도 안 좋다. 이런 사장들을 만나면 어느 정도 느낌이 와서 거리감이 들고 우선 방어적이 된다. 결국 모든 일은 사람이 하는 것이다. 사람들에게 진정으로 호감과 신뢰감을 주어야 사업이 잘될 텐데, 이런 부정적인 느낌을 주어서는 회사의 발전과 지속성에 문제가 생길 수밖에 없다.

위대한 기업을 만든 존경받는 기업인들은 하나같이 자신의 인격을 연마했다. 최종 결정자인 자신의 인격이 곧, 회사의 인격이 되어서 고객들에게 사랑을 받는 회사가 되기 때문이다. 기업의 사회적 책임은 곧, 사장의 인격이고 회사의 인격이다.

"우리는 얻는 것으로 생계를 유지하고 나누는 것으로 삶을 유지한다"

윈스턴 처칠의 말이다.

 생각해보기

– 우리 회사에서 거둔 수익은 제품 공급망의 누구로부터 나온 것이며 국가, 사회, 그리고 시민은 어떤 역할을 했는가?
– 우리 회사는 어떤 CSR을 실천하고 있고 그것이 회사와 직원들에 어떤 영향을 주고 있는가?

‖‒‖
인정을 먹는다

'여자는 사랑을 먹고 남자는 인정을 먹는다'는 말이 있다.

인정을 받고 싶은 욕구는 누구에게나 있다. 특히 남자에게 강렬하다. 여성들이 남자에게 사랑받는 비결은 바로 이것을 잘 아는 것이다. 남자는 자기를 인정해주는 보스에게 때로는 목숨도 바친다고 하는 것도 빈말은 아니다. 칭찬을 적절히 활용하여 조직을 잘 이끌어가는 사장들이 있다.

세상을 살아가자면 사람들과의 교류는 필수적이고 사람들로부터 좋은 인상, 좋은 이미지를 받고자 하는 욕구는 당연하다고 할 수 있다. 하지만 이것이 지나치면 모자란 것만 못하다. 건강한 인정욕구는 내가 가지고 있는 단점을 극복하기 위해 노력하거나 직원들에게 나의 좋은 모습, 성과를 보여주어 동기유발을 자극하는 등 초점이 나보다는 다른 사람들에게 있다. 그러나 건강하지 못한 인정욕구는 단순히 자기 자랑을 하기 위해서 단점은 숨기고 장점을 과대포장 하려고 한다. 자신이 과거에 어떤 대단한 것들을 했는지를 떠벌이느라 다른 사람들의 반응에 둔감하고, 다른 사람들의 이야기에는 귀를 기울일 기회를 잃어버린다. 가진 것들을 자랑하면서 사람들이 자신을 높게 봐주기를 기대하는 사람들. 경제적인 여유가 없는데도 비싼 외제 차를 사거나 비싼 액세서리를 차고 다니며 남들을 의식하는 사람들….

지인 중에 병원을 창업해서 크게 성장시킨 원장이 있는데, 그분은 작은 하이브리드(Hybid) 소형차를 타고 다닌다. 그분에게 그것에 대해서 물어보지는 않았지만, 그 차를 타고 다니면서 병원에 세우기도 하고 사람들을 만나기도 하는 것을 전혀 어색해하지 않는 것을 보고 더 물을 필요성을 못 느꼈다. 외양에 구속되지 않고 그냥 자신이 타고 싶은 경제적인 차를 타고 다니는 건강한 인정욕구를 가지신 분이다. 한 번은 산업공단 근처에 적잖은 사무실을 얻어서 봉사단체에 기부한 것을 아무에게도 이야기하지 않다가 우연히 지인에게 발각(?)되기도 했다.

사장에게는 특히 인정욕구가 치명적이다. 사업을 하는 사람이 헝그리 정신을 잃어버리면 더 이상 발전을 못한다. 직원들의 복지 향상을 위해 체계적인 복지정책을 시행하는 것이 아니라 잘 보이고 좋은 말을 듣고 싶어서 비싼 곳에서 회식을 자주 한다든지, 일관적이지 않고 성과에 맞지 않는 보너스를 준다든지 하는 행위는 조직을 망가뜨릴 수 있다. 또한 친목모임이나 사적 단체 등의 원만한 사적 모임을 통해서 스트레스를 풀고 서로 정보도 교류하는 차원을 넘어서 여러 단체의 장(長)이 되어서 본업보다 더 많은 시간과 에너지를 쓰며 사람들에게 인정받으려고 애쓰는 사장들이 있다. 이런 사장이 있는 회사는 그때부터 쇠퇴기를 맞게 된다.

세계 최고의 투자가 워런 버핏은 수십 조의 자산이 있지만 7년이 지나 색이 바래진 구두를 신고 있으며 3백만 불짜리 저택에서 50년째 살고 있다. 그러나 게이츠 재단에 310억 불이라는 미국 역사상 최고 액수를 기부해 세상을 놀라게 했다. 우리가 아는 위대한 인물들, 사업가들은 철저한 금전 관리를 한다. 이것은 그들의 전반적인 생활철학이 다른 사람들의 인정을 받기 위해서가 아니라 진정 스스로 자신에게 인정받기를 원하기 때문이다. 설사 다른 사람들이 나를 낮게 볼지라도 나 자신이 당당하고 부끄럼 없는 것이 더 중요한 것이다.

이런 사장이 혁신을 이루어 세상을 놀라게 한다. 다른 사람들이 비웃고 조롱해도 거기에 좌우되지 않고 세상에 꼭 필요한 것이라 스스로 생각하기에 끝까지 중심을 잃지 않아 위대한 발명과 발견을 해낸 일화를 많이 본다. 어쩌면 혁신과 성공은 세상 사람들의 인정의 반대편에 있다고도 말할 수 있겠다.

오래전에 크게 성공한 일본 기업의 회장이 고객과 만나는 자리에서 그 고객이 변기에 고급 시계를 빠뜨렸다고 하자 냉큼 달려가 맨손으로 변기에 빠진 시계를 건져서 깨끗이 닦아 고객에게 돌려준 일화가 있다. 그 당시에는 지금과 같은 수세식이 아니라 재래식이어서 누구나 그렇게 할 수 있는 일이 아니었고, 특히 대기업 회장이면 직원을 시킬 수도 있는데, 왜 군이 직접 그렇게 했을까? 회장이라는 체면과 위신보다 방문한 고객의 물건을 잃게 해서는 안 된다는 고객 중심적인 마인드와 더러운 일을 직원에게 시키지 않으려는 따뜻한 마음이 있는 것을 볼 수 있다. 평소에 고객을 위해서 최선을 다한다는 마음이 있었기에 자동적으로 그런 행동이 나왔을 것이다. 그만큼 성공해서 돈도 벌었지만 다른 사람들의 인정을 바라고 큰 회사를 세운 것이 아니라 고객을 위해서 열심히 하다 보니 고객들이 그를 대기업 회장으로 만들어 준 것이다.

사람들의 칭찬과 비난은 들쑥날쑥하다. 그래서 그것에 기대하는 것은 갈대에 기대는 것과 같아서 넘어지기 쉽다. 인정을 목표로 삼는 사람은 결코 달성할 수 없는 가치를 바라보고 달려가는 것이다.

생각해보기

- 나는 나의 내면을 가꾸기보다 다른 사람들의 눈을 더 신경을 쓰는가?
- 나는 나 자신을 솔직하게 드러내는 편인가? 아니면 최대한 포장하려고 하는가?
- 우리 회사는 겉모습보다 내실이 알찬 회사인가?

갈등은 성장통이다

세상을 살면서 갈등은 필수적이다.

갈등은 나의 오해에서 초래된다. 상대방의 입장이 아닌 내 위주로 판단하기에 오해를 불러온다. 내 입장에서 생각하는 것은 본능적이다. 그러나 다른 사람의 입장에서 생각하는 것은 성숙을 필요로 한다. 성숙한 사람은 다른 사람의 입장에서 생각한다. 그 사람의 처지와 생각, 감정을 고려하기에 이해의 폭이 넓다. 이해의 폭이 적으면 오해의 폭이 넓어진다. 어린 아이들을 대할 때에 허리를 굽히고 그 키에 맞추어 눈을 마주치는 것이 이해이다. 차를 운전하다 보면 신호가 바뀌자마자 크락션을 누르는 사람들, 갑자기 끼어드는 사람들 때문에 짜증이 난다. 하지만 그중에는 정말 급해서 그렇게 하는 사람들이 있다. 나는 그런 일이 없었는가? 중요한 약속에 늦어서 본의 아니게 과속을 하고 앞차가 느린 것 같아서 크락션을 누르고 끼어들기를 했던 경험이 있다.

갈등은 또 남이 오해해서 빚어지기도 한다. 나는 아무런 잘못을 안 했는데도 억울한 입장에 놓이기도 한다. 나는 일에 대해서 고민하느라 사장이 옆으로 지나가는 것을 몰랐는데, 사장은 예의가 없는 사람이라고 오해한다. 나는 어제 있었던 일 때문에 히죽 웃었는데, 어쩐 일인지 상대방은 자기를 비웃었다고 오해한다. 나는 철저히 돈 관리를 하고 절약하며 다른 사람들을 잘 돕지만, 다른 사람들은 나를 구두쇠라고 오해한다. 다른 사람들의 나에 대한 오해는 최대한 사실을 밝히면서 해소할 수 있지만, 상대방에 대한 나의 오해는 상대방이 그 내용을 말하지 않으면 알 수가 없다. 그래서 대화가 필요하다.

사장은 직원들과 자주 대화를 해야 한다. 여럿이 만나던지, 일대일로 차를 마시던지, 대화하여 고충과 어려움을 알아야 한다. 그냥 형식적인 것이 아닌, 진정한 대화를 해야 한다. 사장과 직원이 아닌 인간 대 인간으로서의 대화이어야 한다. 내가 솔직하게 먼저 마음의 문을 열어야 상대방의 문도 열린다.

갈등은 또 문화적 차이, 습관에 기인하기도 한다. 우리가 엄지를 치켜세워 최고라고 칭찬을 하는 것이 다른 나라에서는 욕이 될 수가 있다. 엄하고 예의를 철저히 지키는 가풍이 있는 사람은 머리를 물들이고 길거리에서 이어폰을 끼고 다니면서 몸을 흔드는 사람을 방종(放縱)한다고 생각할 수 있다. 하지만 또 다른 사람은 그것을 다른 사람을 의식하지 않고 개성이 있다고 생각하기도 한다.

사장은 직원을 채용시에 충분한 시간을 들여서 직원의 개성과 문화적 차이, 습관, 취미에 대해서 자세히 물어보아서 그 사람의 행동에 대해서 미리 이해할 필요가 있다. 채용 후 그것들을 바꾸기는 많은 시간이 소요되고 바꿀 수 없는 것들이 더 많을 것이다.

　또 다른 갈등의 원인은 기질이다. 사람마다 태어나면서부터 독특한 기질이 있고 가정, 사회에서 학습이 되면서 자신만의 유일한 기질을 갖게 되는데, 다른 말로 개성이라고도 한다. 그리스의 의학 선구자 히포크라테스는 사람을 네 가지 기질로 분류했다. 다혈질, 담즙질, 점액질, 우울질. 사실 복잡한 성향이 결합되어 있는 사람들을 이 네 가지로 구분하는 것은 너무 단순하고 대부분 복수 영역에 속하기도 한다.

　MBTI라는 성격유형 테스트는 16가지로 영역이 구분되어 훨씬 세부적인 성격유형을 알 수 있다. 그러나 시간이 지나고 다시 테스트를 할 때에 그동안의 경험과 그때의 상태에 따라 다른 유형이 나올 수도 있다. 이러한 기질에 대한 구분에 관심이 필요한 이유는 사람들의 고유한 기질을 이해하고 각 장점과 단점을 잘 알아두면 피해야 하는 말과 행동을 알 수 있고 사람의 어떤 행동에 대해 오해하지 않아서 직원관리에 도움이 되기 때문이다. 중요한 것은 사람들을 획일적으로 대하는 것보다 그 사람의 성격을 이해하고 거기에 맞추어서 대하는 것이다. 또한 나에게 대하는 말과 행동에 대해서 그럴만한 이유가 있을 것이라는 열린 마음이 필요하다.

　근래에 CRM(Customer Relationship Management-고객관계관리)이라고 해서 고객의 특성, 라이프스타일에 따라 맞춤형 마케팅이 주류가 되고 있다. 직원들도 나의 부하가 아니라 내부의 고객이라고 생각하는 마인드가 필요하며 동일한 접근이 요구된다. 회사에는 다양한 유형의 사람들이 있고 그들의 말과 행동이 다르다는 것을 이해하며 평소에 사람들을 대할 때, 소모적이고 필요 없는 갈등은 줄어들 것이다.

사실 사람들이 쉽게 이해가 되는 것이 어쩌면 이상한 것이다. 다른 성격, 가정환경, 경험, 현재 처한 상황 등이 모두 다르기에 그것들의 조합에 의한 경우의 수는 천차만별일 수밖에 없다. 또한 갈등은 발전을 위한 예비적 성향이 있는 경우가 많기에 잘 다루면 조직의 성숙화에 기여한다. 갈등을 피하려 하지 말고 조직 성장의 기회로 여기고 건설적으로 대하는 자세가 필요하다. 조직이 구성원들은 불완전하고 서로가 보완적 관계에 있다. 내 일만 잘한다고 전체 조직의 성과가 잘되는 것은 아니다. 각자에 맡겨진 일은 잘하면서 서로 간에 이해와 배려, 그리고 도우려는 마음이 합쳐져야 갈등은 성장의 밑거름이 되고 전체의 성과가 최고로 나온다.

 생각해보기

- 우리 회사의 갈등은 무엇이고 그 원인은 무엇인가?
- 나는 갈등을 정면으로 맞서 해결하려 하는가? 아니면 갈등 상황을 피하려 하는가?
- 나는 직원들과 자주 소탈하게 대화하는 편인가, 아니면 될 수 있는 한, 직원들과 직접적으로 만나지 않으려 하고 비밀이 많아야 좋다고 생각하는가?
- 나는 직원을 내부의 고객이라고 생각하는가?

⚡ 비난, 그 가벼운

이 세상에서 가장 쉬운 것은 숨 쉬는 것과 남들을 비난하는 것이다. 우리는 본능적으로 비난을 쉽게 하도록 되어 있다. 남들에 대한 비난을 해야 직성이 풀린다. 그래야 스트레스가 풀리는 것 같다. 자기와 다른 점이 있으면 그 사람을 비난한다. 그러면서 자신의 다름에 대하여 우월감을 갖는다. 그래야 열등감에서 해방되는 것 같다. 그러나 그것은 다름 아닌 진정한 열등감이다.

여당 야당이 서로 비난하는 것은 민주주의에서 하나의 상징이 되었다. 내가 중학교 때 '정치경제'라는 과목을 배웠는데, 책 본문에 정당의 설립목적이 '정권획득'으로 표기되어 있었다. 암기 위주의 주입식 교육 덕택에 별 비판적 생각 없이 그대로 받아들였지만, 정당의 목적은 '국가와 국민을 올바른 길로 인도하기 위함'이 아닌가? 지금까지도 교과서에서는 그것을 동일하게 정의하고 있다.

어린 시절에 뇌리에 박혀있던 '정치는 정권획득을 하는 것'이라는 믿음은 무슨 수를 써서든지 정권만 잡으면 된다는 것으로 잘못 호도

(糊塗)할 수가 있다. 그래서 정권을 위해서는 불법 자금도 조성하고 사찰(査察)도 하며 상대방의 비리를 캐는 데에 혈안이 되고 있는 것은 아닌지…. 어쨌든 그 목적에 대해서 소홀하게 생각들을 해서 그런지 서로 조금만 틈이 보이기만 하면 비난한다. 비난을 잘해야 정치를 잘하는 듯이 보인다. 누가 '칭찬당'이라고 정당 하나를 만들어 비난은 전혀 하지 않고 상대 당들을 칭찬만 한다면 어떻게 되겠는가? 타당들이 비난하든 말든, 상대의 비난에도 오히려 칭찬을 해준다면 유권자들에게 인기를 못 얻을까?

'잘되면 내 탓, 잘못되면 조상 탓'이라는 말이 있다. 뭐가 잘 풀리면 내가 열심히 해서, 머리가 좋아서, 잘나서 잘 되는 것이고, 잘 풀리지 않으면 부모가 돈이 없어서, 빽이 없어서, 지원을 제대로 안 해줘서 그런 것이라며 비난한다. 결과에 대해 스스로 자신을 돌아보는 것이 먼저인데, 다른 사람 탓을 먼저 하는 것은 스스로 발전을 막는 것이다. 설사 누군가가 직접적인 실패 원인을 제공했더라도 그것을 예상하지 못하여 미리 막지 못한 자신을 탓하는 사람은 다음에는 더 철저히 대비할 수 있다. 그러나 먼저 다른 사람 탓을 하는 사람은 다음에 동일한 상황에 처해서 또 실패할 가능성이 크다. 무언가 비난거리를 찾아서 빠져나와 실패방지를 위한 노력을 게을리하는 것이다. 너무 쉽게 그냥 무언가를, 누구를 비난하고 심리적 안정을 얻는 것이다.

인터넷에서는 누가 좀 잘 나간다 싶으면 비난이 빠지지 않는다. 응원하면 이빨에 덧이 나는가 보다. 익명의 환경을 활용하여 멋대로 비난한다. 뒷감당은 전혀 하지 않는다. 한 사람을 죽음으로도 몰아간다. 그래도 대중심리 속에 묻혀서 죄책감을 못 느낀다. 비난하기 위하여 돌아다니는 외로운 늑대.

특정 사건에서 문제가 된 내용을 잘 알고 있으며, 상대방이 분명히 잘못을 했고 마땅히 사과해야만 하는 경우에, 그 사람을 위해서 다시 그런 잘못을 범하지 않게 하는 질책이나 꾸짖음은 좋은 약이 될 수도 있다. 그러나 내용을 정확히 잘 알지도 못하면서 다른 사람들을 따라서 비난하거나, 진정 그 사람을 위하는 것이 아닌, 화를 표출하기 위해서, 그 사람이 미워서, 혹은 어떤 다른 목적하에 비난하는 것은 주관이 없고 인격이 바닥에 있는 사람이다.

하지만 실상은 비난하는 사람이 또한 큰 피해자다. 그런 행동은 비난하는 사람의 속마음에 들어와 그 사람의 인격에 영향을 미친다. 다른 사람을 사랑하고 배려하는 마음에 스스로 상처를 입힌다. 정말 잘못을 했고 이미 누군가 잘못을 지적했으면 더 이상 내가 나서지 말자. 이제는 잘못을 한 사람에게 맡기자. 그런 잘못을 해놓고 그 사람은 마음이 편하겠는가? 언제 사과를 해야 할지 고민하고 있을지도 모른다. 자신의 마음을 고결하게 지키자.

생각해보기

- 하루에 내가 얼마나 다른 사람들을 비난하는지 기록해 보았는가?
- 왜 비난하는 사람이 큰 피해자인가?
- '내로남불'이라는 말이 유행어가 된 배경이 무엇이고 여기에서 나타난 인간의 속성은 무엇인가?

‖—‖
다른 사람을 사랑하기 위해
거쳐야 할 것

사랑은 모든 선의 기본이다.

자비하려면 용서해야 하고 사랑을 하지 않으면 용서를 할 수가 없다.

사랑 없이 친절할 수 없다. 그것은 가식이다.

사랑 없이 봉사할 수 없다. 그것은 고역이다.

사랑없이 도와줄 수 없다. 그것은 인정욕구다.

사랑이 있다면 무엇을 하든지, 어디를 가든지, 어떤 어려움과 상황에도 내적 안정감을 잃지 않고 행복할 수 있다. 하지만 다른 사람을 사랑하기 위해서는 먼저 거쳐야 할 단계가 있다. 자신을 사랑하는 것이다. 자신을 사랑하지 않고 어떻게 남을 사랑하겠는가? 남을 사랑하려면 우선 내가 나를 어떻게 여기는지 돌아보자. 나를 사랑한다는 것은 나의 장점은 물론이고 단점도 사랑하는 것이다. 나의 단점을 사랑하지 않고 어떻게 다른 사람의 단점에 대해서 너그러워지고 사랑할 수 있겠는가?

나를 사랑하는 데에 가장 큰 걸림돌은 비교다. 나는 이 세상에서 유일한 존재다. 일란성 쌍둥이의 외모도 완전히 동일하지 않다. 얼굴도, 키도, 지문도 다르고, 성격도 똑같지 않다. 누구와 비교할 수 없는 존재다. 나의 외모, 성격, 지문, DNA는 70억분의 1, 오직 하나다. 그런데 사회적 가치관에 따라 우리는 서로 비교한다. 그러면서 부족함과 우월감을 느끼고 결국은 모든 사람이 열등한 사람이 되었다. 100% 우월한 사람은 없기 때문이다. 바닷가 해변의 조약돌들을 보아라. 어느 것 하나 똑같은 것은 없다. 그러면서 모두가 우리에게 다양한 아름다움을 선사하고 있다. 세상의 꽃이 모두 동일하다면 얼마나 무료할 것인가.

비교로부터 자유하라. 그러면 한결 자신을 사랑하기 쉬울 것이다. 자신을 사랑한 후에야 비로소 다른 사람이 보이고, 그들에게 관심을 갖게 되며, 진정으로 도와주고 친절을 베풀며 용서할 수 있다.

사랑은 두려움을 몰아낸다.

사랑은 우울감을 떨쳐낸다.

사랑은 불평을 잠재운다.

사랑은 피폐를 몰아낸다.

사랑은 마음의 병을 치유하고 신체의 병 70%는 마음의 병에서 온다.

사랑은 세상을 포용하는 거인으로 만든다.

사랑은 신뢰사회를 만든다.

사랑은 모두를 풍요롭게 한다.

사랑은 또한 '불쌍히 여기는 마음'이다. 어떤 사람을 미워하다가도 측은한 마음이 들면서 불쌍하게 생각되면 이미 미움은 멀리 도망가 버린 것이다. 부부싸움을 해서 분이 풀리지 않다가도 배우자가 그런 말과 행동을 할 수밖에 없는 상황임을 인지하면 어느덧 불쌍한 생각이 든다. 그것이 사랑이다.

길을 가다 걸인을 보고 불쌍한 마음이 드는 것. 난리를 피해 타국을 떠도는 난민들의 뉴스를 보고 불쌍한 마음이 드는 것. 병으로 고생하는 사람들, 헤어짐으로 외로운 사람들, 사고를 당한 사람들을 불쌍히 여기는 마음. 사장으로서 사업은 사랑이다. 일을 사랑하고 동료를 사랑하며 고객을 사랑하는 사장은 진정한 기업인이고 현명한 기업인이다. 주위에 자신을 돕는 많은 사람이 몰려들기 때문이다.

 생각해보기

- 자신의 어떤 점이 불만이고 사랑할 수 없는가?
- 고객과 직원이 진정 사랑스러워 보이는가??

비워야 채워진다

　자꾸 담으려고만 하면 채워지지 않는다. 욕심이 차 있으면 재물은 도망간다. 음식을 먹지 않고 무언가에 집중하는 사람들이 있다. 무언가 해결을 위해서는 비우는 것이다.

　필자는 얼마 전 대장내시경을 했다. 올해가 2년마다 오는 정기검진 해이기에, 그리고 가끔 느끼는 복부의 불편함을 의심해서 한 것이다. 대장내시경을 준비하기 위한 비움의 과정은 많이 불편하다. 의학이 좀 더 발전하기를 바랐지만, 사전에 받은 약들은 전과 비슷했다. 3일 전부터 특정한 음식을 피하고 하루 전 저녁부터 금식하고 약을 먹고 속을 비웠는데, 불편한 과정 속에서도 좋은 점이 있었다. 머리가 맑아지는 것이다. 위장운동이 멈추니 머리가 에너지를 최대한 사용할 수 있어서 그런 것이다. 머리 아프게 고민하던 몇 가지의 해결책이 생각이 나고 새로운 아이디어도 떠올랐다. 비우니 채워지는 것이다.

　바쁘게 살기만 하면 다람쥐 쳇바퀴 돌 듯 그냥 바쁘기만 하다. 마음에 여유가 있어야 지금 올바른 길을 가고 있는지 돌아볼 수 있다.

어깨에 힘을 빼고 살자. 나의 모자람이 보여야 다른 사람들이 그곳을 채우기 위해서 들어올 수 있다. 내가 다 채우려고 하지 말자. 다 채울 수 없다. 내 능력이 100이고 다른 사람이 채우지 못하면 그냥 100이다. 하지만 1명이 도우면 200이고 2명이 도우면 300이다. 사람의 능력은 혼자의 능력과 사회성에 달려있다.

총 능력 = 혼자의 능력 × 사회성

성공한 사람을 살펴봐라. 누군가의 도움이 없었던 사람은 거의 없다. 현명한 사람은 완벽하기보다 자신의 부족한 부분을 인정하고 사람들과 서로 보완하기를 힘쓴다.

대부분의 운동이 그렇지만 골프에서도 가장 강조하는 것이 힘을 빼는 것이다. 힘을 주고 치면 오히려 공이 더 멀리 나가지 않는다. 멀리 나가기는커녕 방향도 올바로 나가지 않는다. 하지만 힘을 빼면 근육이 부드러워지면서 회전이 원활하게 되고 마음에 여유가 생기면서 공을 골프채 정중앙 스팟에 정확히 치게 되는 것이다. 몸에 힘을 주면서 18홀을 돌면 점수도 안 좋고 몸은 긴장이 지속되어 녹초가 된다.

공부를 할 때도 눈에 불을 켜고 집중을 하는 것은 좋으나 그렇게만 해서는 오래 버티지 못한다. 심호흡을 한번 하고 어깨를 내려놓고 몸에 힘을 빼고 여유를 가지고 임하면서 집중력을 잃지 않으면 더 오래 공부할 수 있고 몸에도 무리가 덜 간다. 때로는 멍한 표정으로 잠시 잠시 쉬면서도 효율은 떨어지지 않는다.

필자가 예전에 직장생활을 하면서 미국 대학교에서 온라인으로 단기 마케팅 과정 공부를 할 때, 너무 힘든 나머지 쌍코피라는 것을 쏟아봤는데, 몸을 이완하면서 공부를 하는 방법으로 무리를 줄이고 효율을 높였던 경험이 있다. 과도하게 집중하는 것이 긴장을 높이고 오히려 두뇌를 경직시키는 것이다.

목표는 세우되 욕심은 비우자. 목표를 향해 매진하는 것은 필수적이다. 그러나 욕심은 무리한 계획을 세우고 장애물을 차근차근 해결하려고 하지 않고 잘못된 방법으로 돌파하려고 한다. 상도덕을 무시하고 경쟁자를 눌러버리려 한다. 그러다가 내 꾀에 내가 빠진다. 그리고서야 세상은 그렇게 만만하지 않음을 피부로 느끼게 된다.

우리가 아는 성공한 사장들은 대부분은 지름길보다는 각고의 노력으로 사회에 도움을 주는 사업체를 운영하고 있다. 자신에게도 도움이 되지만 사회에 공헌이 되는, 다른 사람을 돕는 목적 등이 같이 가고 있다. 그래야 무리수를 두어서 일을 그르치고 잘못하면 패가망신하는 우(愚)를 범하지 않는다.

자녀도 어느 정도 마음을 비우고 키우는 것이 좋다. 자녀에 대한 욕심이 꽉 차 있으면 사사건건 참견을 하여 아이의 자주성을 키우지 못한다. 해달라는 대로 다 해주다가 아이를 독립성이 없이 키우고 30세가 넘어서도 부모에게 기대는 성인 아이로 만든다.

무엇에 마음을 비우지 못하는가? 돈, 명예, 인정욕, 정욕 등등. 비워야 채워진다. 책을 덮고 내 마음을 점검해보자. 비우지 못하는 것이 무엇인지.

 생각해보기

- 내가 과도하게 집착하고 채우려고 하는 것은 무엇인가? 그것이 그만한 가치가 있고 그 방식이 효과적인가?
- 나는 내가 가지고 있는 것으로 누군가를 도와주면서 훈훈한 마음으로 더 크게 받은 적이 있는가? 우리 회사의 직원들도 그 마음을 경험할 수 있도록 회사 차원에서 할 일은 무엇인가?

Chapter 4.
산책하며
생각하며

"사람이라는 동력기관은 외압이나 보수에 의해
최고의 노동량이 산출되도록 만들어지지 않았다.
오직 '애정'이라는 연료로만 최대의 노동량을 산출할 수 있다."

– 김봉진
(우아한 형제들 창업자, 디자이너 출신으로
국내 1위 배달앱, 배달의 민족을 만든 기업인)

"일단 비교의 쓸데없음을 통찰했다면
그 자리에는 기대한 자유가 들어선다."

– 격언

"지구상의 생물들 중 어느 한 종을 잃는다는 것은
비행기 날개에 달린 나사못을 빼는 것과 같다."

– 폴 랄프 에를리히
(미국의 생물, 생태, 인구통계 학자)

"인류는 그간 '아이디어' 또는 '기술'이라는 공으로
가득 차 있는 항아리에서
이로운 기술을 의미하는 흰색 공들을 뽑아왔다.
항아리 속에는 검은색 공도 있지만, 아직 뽑지 않았는데
그 이유는 단지 운이 좋았을 뿐이다.
그 검은색 공은 인류 문명을 한순간에 파괴할 수 있는
합성 생물학이나 인공지능·나노기술과 같은 기술을 의미한다.
인류가 항아리에서 검은색 공을 뽑아낼 수는 있지만
이를 다시 집어넣을 수 있는 능력은 없다."

– 크리스 앤더슨
(컴퓨터 저널리스트, TED 대표로 국제적 이슈의 강연 기획)

⫴—⫴
암소 한 마리

　대학 여름방학 때, 서울 충무로의 큰 한식 식당에서 아르바이트를 한 적이 있었다. 한 달 정도 한 걸로 기억이 나는데, 한우의 각 부위 별로 요리를 하여 팔아서 상호에 '암소한마리'라는 글귀를 붙였다. 1층은 테이블과 의자로 배치되었고 2층은 룸으로 구성이 되었다. 근처에서는 제법 인지도도 있어서 가끔 영화사 직원과 배우들도 방문하였다. 식당은 홀서빙 7명, 주방 4명, 카운터 1명, 지배인 1명으로 총 13명이 운영하였고, 필자는 홀서빙 일을 했다. 사장은 잘 안 나타났고 조카뻘 되는 지배인이 사실상 총책임자였다. 홀서빙 인원 중 2명은 지배인의 동생들로서 홀서빙을 주관했는데, 주방과 홀의 중간에서 음식 주문을 받고 음식과 반찬을 홀서빙하는 5명에게 전달하는 역할을 하였다. 그 5명의 홀서빙은 모두 아르바이트를 하는 직원들로서, 대학생은 나 말고도 1명이 더 있었다.

　홀서빙을 주관하는 두 형제는 서로 궁합이 잘 맞아서 한 치의 빈틈도 없이 주문을 소화했다. 고기와 더불어 나오는 파채, 고추 같은 반찬의 종류가 꽤 되었는데, 주방에서 이동쟁반이 있는 곳까지 긴

탁자로 연결되어 있어서 주방 쪽에는 형이, 이동쟁반 쪽에는 동생이 위치해 있었다. 바쁠 때는 주방 쪽의 형이 반찬 그릇을 거의 던지듯이 미끌미끌한 탁자에 내려놓으면 그대로 일직선으로 미끄러지듯이 이동하여 이동쟁반이 있는 동생의 왼손에 착 잡혔다. 그와 동시에 동생이 반찬을 쟁반에 쫙 깔아놓으면 홀서빙 직원들이 와서 가져간다. 처음엔 그 속도와 정확성에 신기하여 멍하는 바라보다가도 이내 쟁반을 들고 빠른 걸음으로 홀에 배달을 갔다.

점심과 저녁 피크시간 때에는 발에 불이 나도록 뛰어다니면서 음식을 홀에 배달하고 손님이 나가자마자 상을 치워 배식구에 가져다 놓아야 했다. 그 시간대에는 모든 좌석이 만원이었기에 다음 손님이 기다리지 않게 바삐 움직여야만 했다. 점심시간에는 1시간 정도 바쁘게 움직이면 끝났지만, 저녁, 특히 주말 저녁이면 3시간 정도 강도 높은 일이 계속되었다. 저녁을 미리 먹지만 3시간 동안 바쁘게 일하면 곧 배고파져서 상을 치우면서 손님이 구워놓고 먹지 않은 고기를 빠르게 집어먹기도 했다.

몸은 힘들었지만 그때는 그렇게 힘들다는 생각이 안 들었다. 직전에 군대에서 3년 가까이 근무하면서 쌓은 체력도 있었고, 모자라는 학비를 충당해야 한다는 목표도 있었다. 또 사회생활을 경험하는 재미도 있었던 것 같다.

예전에 가족과 명동에 갈 때 그 식당에서 식사를 하려고 한 번 찾아봤는데, 다른 곳으로 이사를 갔다고 했다. 대학시절 많은 아르바이트를 했는데, 그 식당에서의 추억이 선뜻 떠오르는 것은 몇 명의 유명 연예인들을 볼 수가 있었고 홀서빙을 관장하던 그 형제들과의 재미있는 대화와 에피소드들이 있어서이다. 지금은 그것들이 정확히는 기억이 나지 않지만, 그 바쁜 속에서도 서로 웃고 장난을 치며 재미있게 일했던 경험이 있었다. 내가 엉뚱한 테이블에 음식을 배달하거나 빨리 움직이느라 반찬 한 가지를 빼놓고 배달할 때에도 호통을 치기보다 웃으면서 잘못을 지적해 준 그 형들. 홀서빙을 주관하는 그 형은 나에게 "너는 어떨 때는 무지하게 똑똑하고 어떨 때는 무지하게 멍청해"라며 아리송한 질책 아닌 질책을 하던 기억이 난다. 아마도 그날 멍청했다는 말을 에둘러서 한 것 같다. 그리고 손님에게뿐 아니라 나에게 다가와서 겸손하게 눈웃음을 짓던 지나가는 지배인. 계산을 할 때는 냉정하다가도 항상 인자하게 대해주던 카운터를 보던 사장 사모님.

내 생각에는 그 식당이 사람들로 항상 넘치는 것은 음식 맛도 있지만 친절한 서비스와 더불어 오랫동안 근무한 형제들의 손발이 잘 맞는 시스템으로 고객 대기시간이 짧았던 것을 들 수 있겠다. 자주 바뀌는 홀서빙 아르바이트 직원들에게 특별히 서비스 교육을 시키지도 않았다. 그러나 모두들 친절하고 민첩하게 움직이는 것은 형제들이 보여주는 모델링 교육과 화기애애한 분위기 탓이었다.

적당한 농담으로 재미있는 홀서빙이 되게 했으며, 꾸중보다는 따뜻한 말에 의한 지적으로 웃음을 띠면서 홀 손님을 대할 수 있었다. 특별한 교육이 없어도 암묵적으로 진행되는 그들만의 시스템에 새로 온 직원은 스며들었으며, 한가한 시간에는 격의 없이 대화를 주고받으며 짧은 시간에 친해지게 만들었다. 그래서 아무리 바쁜 시간대에도 적극적으로 일을 해서 원만하게 일을 처리하게 만들었던 것이다.

지금 그들은 어디에서 무엇을 하고 있을까? 30여 년이 지난 지금, 이름들은 잊었지만 얼굴은 선명히 기억이 난다. 내가 어려운 가정형편에도 패기를 잃지 않았던 것은 이런 사람들이 해준 따뜻한 말과 내가 일을 원만히 하도록 도와준 덕분이었다. 세상이 살만한 곳이라는 생각이 떠나지 않았기에 나는 더욱 전진할 수 있었고 사회에 희망을 가질 수 있었다.

 생각해보기

- 내 기억 속에 힘들었지만 아름다운 추억은 무엇인가?
- 내가 어려운 시절에 나를 도와준 사람에게 보답하기 위해서 내가 할 일은 무엇인가?

⫴—⫴
캄데시 전투

　캄데시 전투는 2009년 10월 3일, 아프가니스탄에서 미군이 불리한 지형조건을 갖춘 중요 기지를 사수하기 위해 벌인 13시간의 전투를 말한다. 당시 탈레반 300여 명과 전투를 하여 탈레반 150여 명이 사망했고, 미군은 54명 중 8명이 사망하고 27명이 부상을 당한, 아프가니스탄에서 미군의 가장 치열한 전투로 기록되어있다.

　필자는 영화 '아웃포스트'를 보고 그 영화의 소재가 된 이 전투에 대해 알게 되었는데, 리얼한 전투 신에 몰입되었었고 진한 여운을 남긴 영화였다. 영화에서 주목할 만한 것은 탈레반의 총공격에 병력과 위치적인 불리함으로 아군의 궤멸 진전에서 로메샤 하사가 자원하여 지원병 몇 명과 함께 정문을 탈환하려고 하는 장면이다. 빗발치는 적들의 총탄을 뚫고 정문에 근접하여 적들의 공격을 저지하며 시간을 번다. 절체절명의 위기 순간에 다행히 후방 지원화력이 도착하여 탈레반 진영에 헬기의 융단폭격으로 적들이 도망가며 전투가 끝난다. 로메샤 하사가 아니었으면 정문을 돌파한 적들에게 후방화력이 도착하기도 전에 아군이 전멸하고 진지를 빼앗겼을지도 모른다.

또 하나의 주목할 것은 카터 하사가 자신의 안전을 돌보지 않고 부상당한 전우들을 구하기 위해 동분서주하는 장면이다. 죽음이 넘나드는 치열한 상황에서 자신의 몸도 돌보기 쉽지 않은데, 부상당한 전우들에게 뛰어가 여러 명을 구해내는 장면을 보면 바보 같으리만치 헌신적인 희생정신을 엿볼 수 있다. 미국 정부는 이 용감한 로메샤 하사와 카터 하사에게 미군 최고 영예인 명예훈장을 수여했고, 다른 동료들도 용감히 적에 대항해서 싸운 것을 인정하여 훈장을 수여했다. 한 전투에서 두 명이 명예훈장을 받은 것은 베트남전 이후 40년 만에 처음이라고 한다.

전쟁은 가장 치열하고 두려운 상황이다. 인류의 역사는 전쟁과 함께 했다고 해도 과언이 아니다. 그리고 영웅을 탄생시킨다. 우리가 기억하는 역사적인 전쟁영웅들은 대부분 장군 같은 지휘자이다. 그러나 이 전투에서와 같이 높은 계급이 아닌 영웅들이 있다. 로메샤 하사는 군 제대 후 평범한 회사원으로 일하고 있다. 카터 하사는 전투 후에 심리 치료를 받는 장면이 나오는데, 스크린 자막을 보니 외상 후 스트레스에 시달리면서도 여전히 다른 부상당한 동료들의 회복을 도왔다고 한다.

필자가 아는 전쟁영웅 가운데 한 명은 한국계 군인인 김영옥 대령이다. 김영옥은 한국계 미군으로 세계 2차대전과 6.25 전쟁의 참전영웅이다. 세계 2차대전이 발발하자 자원입대하고 일본계 미군들이 있는 부대에 배속되었다. 이 부대는 다른 미군들로부터 인종차별적인 멸시와 조롱을 받았지만, 전투에서 혁혁한 전과를 쌓아 기어이 인정을 받는 부대로 거듭났다. 프랑스에서 소대장으로서 직접 수류탄을 들고 독일 기관총 진지에 침투하다 총에 맞았는데, 이에 소대원들이 자극을 받아 총공격하여 독일군을 섬멸했다. 이탈리아에서는 전우 한 명과 적의 진지에 들어가서 독일군 2명을 생포해 오고 전사자 한 명 없이 적의 진지를 점령하기도 하였다. 이 진지가 바로 유명한 피사의 사탑이 있는 곳으로, 그의 공으로 인해 이 유적이 보존될 수 있었다. 유럽 전선에서는 그의 기존 전술 이론을 능가하는 활약으로 인해 미 육군 교범이 다시 써졌을 정도였다.

김영옥 대령의 최고의 공적은 1944년 6월 노르망디 상륙작전이 결행되기 직전인 그해 3월, 2차대전 중 최고의 격전지 중 하나로 알려진 이탈리아 안지오(Anzio)라는 항구도시에서 전선이 교착상태에 빠져있는 때였다. 연합군은 전선을 돌파하기 위해 적을 생포해 정보를 얻어야 했는데, 철조망과 수많은 지뢰를 뚫고 가는 것은 자살행위라고 아무도 나서려고 하지 않았지만, 당시 김영옥 대위가 자원해서 부하 네 명을 데리고 이 임무를 성공적으로 수행했다. 이로써 전선이 돌파되었고 연합군의 노르망디상륙작전이 가능하게 됐다. 김 대위의 활약이 2차대전의 터닝포인트로 이어졌다는 점 때문에 그는 각국으로부터 무공을 인정받아 미국, 이탈리아, 프랑스 3국의 훈장을 받은 최초의 인물이 되었다.

그는 전쟁이 끝나고 미국에서 세탁소를 차려 안정되게 사업을 운영하고 있었으나, 한국에서 6.25전쟁이 발발하였다는 소식을 듣고 아버지 나라를 돕겠다며 다시 미 육군에 입대하여 한국 땅을 밟았다. 한국어를 할 수 있었으나 일부러 모르는 것처럼 행동하여 통역장교 대신 최전방 보병부대에 배치되었다. 그리고 그전까지 쓰이지 않던 포의 화력을 이용한 보병부대 전술을 사용하여 혁혁한 공을 여러 번 세워 나중에 미군의 포병운영 교리에 이 전술이 추가되기도 하였다.

1951년 5월 중공군의 총공세 때에는 빗발치는 총알 속에서 맨 앞 선두에서 부대원들을 독려하였다. 종전이 얼마 남지 않았을 때는 조금이라도 더 많은 땅을 차지하려는 일진일퇴의 공방 중에 유엔군 가운데 가장 빠른 진격으로 적 진지를 차지하였다. 현재의 휴전선을 보면 유독 북쪽으로 돌출되어있는 지역이 당시 김영옥 부대가 치열한 전투를 하여 차지하게 된 곳이다.

그는 한때 철의 삼각지대에서 중상을 입고 일본 오사카로 호송되었으나, 치료 후 곧바로 다시 전선에 복귀하였다. 전쟁 중 부상으로 호송당한 기간을 제외하면 쉬지 않고 최전방을 지켰으며, 유색인종 최초로 미 육군 야전대대장이 되기도 했다. 그는 한국전쟁에서 생긴 후유증으로 인해 약 40번의 수술을 받았고, 그의 업적을 기리기 위해 미국과 한국에서 각각 훈장이 수여되었다.

그가 진정한 영웅인 것은 국경을 초월한 인도주의자로 한국전쟁 당시 최전선을 지키며 직접 고아원을 설립하여 수백 명의 전쟁고아를 돌보았고, 전후(戰後) 미국으로 귀국한 이후에도 다방면으로 사회봉사를 이어나갔기 때문이다. 2005년 세상을 떠난 아름다운 영웅의 업적을 기리기 위해 캘리포니아 주는 고속도로 한 구간을 '김영욱 프리웨이'로 도로명을 명명하는 내용의 결의안을 발의하여 만장일치로 통과시켰다. 이것은 미국 최초 한인 도로명의 명명이었다.

"명예롭게 죽어 승리하는 것이 겁쟁이로 싸워 나라도 잃고 모든 것을 잃는 것보다 낫다"

그의 말처럼 김영옥 대령은 목숨보다 나라의 수호와 정의를 더 우선시한 진정한 영웅이 되었다.

여기에 소개한 영웅들은 전쟁터가 아니더라도, 일터에서 가정에서도 그렇게 할 것이다. 회사와 동료들을 위해 자원해서 궂은일을 마다하지 않고 팀원들의 사기를 위해 솔선수범을 할 것이다. 우리 주위에도 이런 영웅들이 있다. 직장에서, 가정에서, 가까운 이웃 중에도…. 지하철 선로에 떨어져 위험에 처한 사람을 구하고 미처 탈출하지 못해 생을 마감한 용감한 시민 영웅이 있다. 불길 속에 뛰어들어 아이들을 구한 희생적인 소방관 영웅이 있다. 일본의 침략으로부터 나라를 구하기 위해 목숨을 바친 시민 영웅이 있다. 다른 사람들이 두 손 든 프로젝트를 적극적인 추진력으로 성공시켜 국부 증진에 이바지한 사업가 영웅이 있다.

우리는 영웅들에게 찬사를 보내고 흠모한다. 하지만 영웅들은 우리와는 멀어 보인다. 너무나도 큰 일을 해냈기에, 너무나도 큰 희생을 치르었기에…. 그러나 우리는 각자의 영역에서 모두 영웅들이다. 정치를 하든, 회사원이든, 사업체를 운영하든, 프리랜서로 일하든, 공무원이든, 전업주부로 있든, 다른 사람들에게 모두 도움을 주고 있다. 아이들의 영웅이고, 지역주민의 영웅이고, 직원들의 영웅이고, 동료들의 영웅이며, 거래처의 영웅이다. 크건 작건, 세상에 알려졌든 알려지지 않았든, 수많은 영웅들에 의해서 이 사회는 움직여 간다.

편의점 아르바이트를 하여 학비를 보태 부모님으로부터 자랑이 되는 영웅. 건설 현장에서 육체노동을 하여 가정을 꾸려나가는 우리의 아버지 영웅. 택배배달을 통해 많은 사람들에게 편리함을 제공하는 영웅. 많지는 않지만 어려운 이웃을 위해 써달라며 푼푼이 모은 돈을 기부하는 연세 많으신 영웅. 영웅들이 있기에 우리도 있다. 그리고 우리도 그들의 영웅이다. 다른 사람에게 도움이 된다면, 내게 보람된 일이 된다면, 우리가 하는 일은 영웅스럽다.

 생각해보기

– 내가 지금 전쟁터에 나간다면 내 목숨보다 위기에 처한 국가나 전우의 생명을 우선시할 수 있는가?
– '전쟁'이라고 할 만큼 치열한 사업 전장(戰場)에서 우리 회사의 영웅은 누구인가?

별들의 이야기

어느 날 별들이 서로 얘기했습니다.

"내가 별들 중에 제일 커"

"아니야 내가 제일로 커"

그들은 서로 누가 더 큰지 자랑하고 있었어요. 하지만 그들은 누가 제일 큰지 알 수가 없었어요. 서로 가까이서 대볼 수 없었거든요. 그 별들의 자랑은 급기야 싸움이 되고 서로 미워하게 되었어요. 큰 별들은 큰 별들끼리, 작은 별들은 작은 별들끼리, 서로 얘기도 하지 않았습니다.

그러자 한 별이 얘기했어요.

"그럼 우리 달님에게 물어보자. 달님은 공평하게 정해주실 거야"

별들은 달님을 불렀어요.

"달님, 우리들 중에 누가 제일 크죠?"

달님이 얘기했습니다.

"크고 작은 것은 중요하지 않아요. 작은 별이 있어서 큰 별이 있는 거잖아요. 한번 생각해보세요. 모두 똑같으면 어떻겠어요. 너무 재미가 없잖아요. 작으면 작은 대로, 크면 큰 대로 모두 멋있어요"

이때 멀리서 이 광경을 지켜보던 햇님이 나타났어요.

"달님 말이 맞아요. 우리는 모두 다 달라요. 크기도 다르고 색깔도 다르고 모양도 다 달라요. 다 달라서 내가 있는 거예요. 다른 별들도 나도 모두가 다 이 아름다운 하늘의 주인공이에요"

별들은 달님과 햇님의 얘기를 듣고 뉘우쳤습니다. 그러자 한 별이 얘기했어요.

"별들아 미안해. 내가 잘못 생각했어. 너희들 모두 멋있어"

또 한 별이 얘기했어요.

"그래, 우리 모두 각자 이 하늘을 아름답게 수놓는 별들이야. 우리는 똑같지 않아서 아름다워"

그들은 서로를 칭찬했어요. 서로 멋있다고 얘기하기 시작했어요.

"너는 나보다 커서 멋있어"

"아니야 너는 나보다 작아서 아름다워"

이것을 지켜보던 달님과 햇님이 미소를 지었습니다. 하늘에 별들이 어느 때보다 더욱 반짝반짝 빛났어요.

 생각해보기

- 나는 회사에서 직원들을 겉모습으로 평가하고 있지 않은가?
- 나의 직원에 대한 평가는 공정하고 치우침이 없는가?

균형 없는 문명의 결과

인류는 이미 최악의 상황에서 자멸(自滅)할 수도 있는 문명을 이루었다. 인류가 자초한 위험요인들은 핵, 환경, 바이러스가 있다.

지금 인류가 보유하고 있는 핵폭탄의 10%만 각 나라에 골고루 터뜨린다면 인류는 멸망한다. 전 세계의 대학과 연구기관이 발표한 자료에 따르면 인류가 보유한 핵무기의 1%만 사용해도 해당 지역에서의 직접적인 사망 말고도 기후변화와 식량부족으로 1억 명 이상이 사망할 것이라고 한다. 현재 8개 핵보유국이 가지고 있는 핵무기는 약 50,000개 정도다. 국제적으로 새로운 핵보유국의 탄생을 억제하고 있지만 몇몇 나라에서 계속해서 핵무기를 만들려고 한다. 이들은 핵 보유의 불평등을 말하면서 자국의 안보를 위해서라고 한다. 우리나라도 현재의 기술 역량으로 약 6개월이면 핵무기를 만들 수 있다고 한다.

인류가 세계대전을 치른 이후 약 80년의 세월이 흘렀다. 일본에 떨어져서 수십만 명의 사망자와 부상자를 초래했던 핵무기가 지금은 약 1,000배의 위력으로 강화되었다. 세계 여러 곳에서는 국가 간의 갈등과 국지전의 가능성으로 자칫 인류에게 돌이킬 수 없는 참상이 벌어지지 않는다고 감히 말할 수 없다.

  또 하나의 자멸할 수 있는 요소는 환경파괴다. 지금 환경 훼손의 영향에 이은 지구온난화로 지구의 온도가 매년 상승하고 이상 기후가 발생하고 있다. 이산화 탄소 등의 유해물질로 인한 온실가스 영향으로 북극의 얼음은 점점 녹고 있고, 강력한 억제를 하지 않으면 2,100년까지 약 1m 가까이 해수면이 상승되어 저지대 국가들은 침수의 위험이 있다. 현재 환경파괴로 인한 이상 기후에 의해 잦은 홍수, 가뭄, 태풍 등의 발생으로 식량부족에 시달리고 있으며, 점점 그 심각성이 커지고 있다. 산업폐기물과 생활 쓰레기는 오랜 기간 소멸되지 않으며, 그것을 소각할 때 나오는 유해가스와 발암물질은 대기에 퍼져 온실가스 효과를 가속화하고 있다. 이러한 영향으로 개나리, 진달래가 일 년에 두 번 이상 피는 유사 이래 겪지 못했던 현상을 목격하고 있다. 인간을 제외한 생물들이 점점 줄어들고 있으며 UN 보고서에 따르면 1970년부터 2006년까지 지구상의 생물 약 36%가 환경파괴로 사라졌다고 한다. 이미 지구의 정상적인 동작을 가능하게 하는 생태시스템이 손실되어 이대로 가다가는 인류가 멸망할 수도 있다고 했다.

  눈부신 문명의 발달은 끼니 걱정을 하지 않게 되는 것에서부터 시작하여 다른 별을 탐사하기 위하여 우주선을 보내는 단계까지 성장하며 인류에게 행복을 가져왔다. 그러나 문명의 그림자 뒤에는 미래와 후손들을 고려하지 않는 발달도 계속해서 가속되고 있다. 그리고 그 기저에는 인간의 탐욕과 이기심이 자리잡고 있다. 안타까운 것은 우리의 해결 능력이 우리의 미성숙으로 인하여 방해받고 있다는 것이다. 인류는 문명의 발달과 더불어 인격적 성숙의 경지 역시 더욱 높여야 한다.

마지막으로 자멸할 수 있는 요소는 바이러스이다. 코로나-19 바이러스의 예에서 보듯이, 달을 정복하고 화성에 우주선을 보내는 고도의 인류 문명조차 바이러스 앞에서는 무력함을 경험했다. 만일 코로나 19와 같은 전파력에 치사율이 훨씬 높은 바이러스가 퍼진다면 인류의 모든 활동이 정지될 것이다.

최근 10년 안에 여러 개의 바이러스가 전 세계를 공포로 몰아넣었다. 바이러스 자체는 인류 역사에 종종 등장해 왔다. 하지만 교통수단의 발달로 인하여 전파력이 상상을 초월하고 있다. 그리고 이런 잦은 바이러스의 출현은 환경파괴와 관련이 있다. 근래에 일어난 바이러스는 모두 동물과 사람의 접촉에 의해서 발생하고 있다. 숲이 사라지고 동물의 영역이 인간에 의해 침범을 받으면서 동물들에 기생하는 바이러스가 사람에게 옮겨지고 있는 것이다. 그리고 지구온난화로 자연재해가 빈번해지고 인간과 동물이 오랫동안 공존해왔던 지구의 생태계가 교란되어 벌어지는 일이다. 오래전에 빙하에 묻혀있던 바이러스들이 기온 상승으로 빙하가 녹으면서 부활하여 인간에게 치명적인 전염병을 일으킬 가능성도 전문가들이 경고하고 있다.

우리는 이 문제들에 대해 다소간에 차이는 있어도 잘 인지하고 있다. 그리고 그 해결을 위한 노력도 해오고 있다. 그러나 그 심각성에 대해서는 잘 느끼지 못하고 있지는 않은지. 먹고 살기 바쁘고 갈 여행지도 많고 할 일도 많아서 잊어버리고 있지는 않은지. 우리의 망각과 이기적인 생각에 의해서 우리 아들, 딸들은 그 결과를 처절하게 경험할 수 있다. 자녀에게 모든 것을 투자하고 돌보면서, 왜 우리가 이 세상에 없는 때에 그들이 직면하게 될 미래에 대해서는 심각하게 생각을 않는지….

현재 코로나 19로 인해 전 세계적으로 유례없는 고통을 경험하고 있고, 바이러스의 변이로 인해서 언제 이 상황이 종료될지 알 수가 없다. 또 종료가 된다고 하더라도 현재의 발달된 교통체계 하에서는 다른 종류의 바이러스가 언제든지 퍼질 수 있다. 전 세계적 유행을 막으려면 모든 나라들이 지구촌이라는 하나의 조직으로서 다루어져야 한다. 자국만 방역을 잘해서는 안 된다. 다른 나라의 바이러스는 우리에게 영향을 끼칠 수밖에 없다는 것을 우리는 몸소 체험하고 있다. 약소국의 상황은 강 건너 불구경하듯이 보면서 자국만 백신을 모두 맞으면 된다는 발상은 치명적인 근시안병이다.

그리고 방역과 백신은 근본적인 해법이 아니다. 우리 인간이 자연, 동물과 공존하는 것이 해법이다. 인류의 존속을 위해서는 문명에 걸맞은 인격과 자제력을 갖추고, 외부환경과 균형을 이루어져야 한다. 이기주의적 국수주의를 버리고 공동의 문제라는 인식 아래 적극적으로 참여하여야 하며, 무엇이 진정으로 자국을 위하는 길인지를 현명하게 돌아보아야 한다. 무분별한 개발로 인하여 단기적으로 경제적 이익을 얻었을지라도 환경파괴로 인한 손해는 훨씬 크고 장기적이다.

인간은 동물로도 인간으로 될 수 있는 유일한 포유류이다. 피부색이 다르다고 아프리카의 흑인들을 쓰레기처럼 배에 움직일 수도 없게 태워서 많은 사람을 죽이고 동물과 같이 매매를 하였다. 한 독재자의 선동으로 전체주의가 되어 조상이 다르다고 죄 없는 600만 명의 사람을 죽이기도 하였다. 우리는 언제든지 상상할 수 없는 잔인성을 드러내기도 하며 극도의 이기심을 보여주기도 한다. 기술이 발달하고 문명이 고도화될수록 우리의 인격도 더욱 성숙하게 고도화되어야 하며, 그렇지 못하면 우리의 운명은 다하게 된다.

자연의 섭리에 역행하는 개발은 자연의 준엄한 심판을 받는다. 자제력을 가지고 장기적인 플랜과 환경오염에 대한 대책을 병행해서, 그리고 철저한 통제하에 진행되어야 한다. 그리고 2차 세계대전 후 냉전시대에 경쟁적으로 보유하던 핵무기를 단계적으로 줄여나가야 한다. 기존 핵보유국가가 지닌 대규모 핵무기들은 새로이 핵무기를 보유하려는 국가들이 자위(自衛) 차원이라고 말하면서 핵무기 개발을 정당화할 빌미가 되기 때문이다.

한편 현대 기업의 화두는 'ESG(Environmental, social and corporate

governance)'이다. 특히 사회는 사장이 환경을 보호하는 혁신적인 제품의 개발을 독려하여 회사의 경쟁력을 높이고 사회적인 이슈를 해결하는 회사로서 자리매김하는 역할을 절실히 필요로 하고 있다. 왜냐하면 인류의 생존이 걸린 문제이기 때문이고, 기업이 이 역할을 잘할 수 있기 때문이다. 회사는 고객의 문제를 해결하는 역할을 하는 것이기에 환경을 해결하는 회사는 고객의 지지를 받고 번영할 것이다. 또한 제품과 서비스가 환경에 관한 국제적인 규범을 준수하는 일에 앞서나가야 고객의 사랑을 받을 수 있다.

친환경(Eco-friendly)제품, 천연제품, 비건(Vegan)제품 등 고객과 지구를 보호하는 제품이 점점 더 소비자의 선택을 받을 것이다. 직원들에게 환경에 대한 인식을 제고하고, 세계적인 이슈에도 관심을 두도록 하며, 지구촌이 하나의 공동 운명체임을 다시금 깨닫고 작은 응원과 메시지를 서로 공유하도록 하자.

인류의 문명은 눈부시다. 우리는 이것에 자부심을 가져야 한다. 하지만 거기에 걸맞은 우리 인격의 균형이 반드시 갖추어져야 한다.

생각해보기

지구촌의 일원으로서, 자멸의 때를 기다리고 있어야 하는가? 아니면 내가 할 수 있는 한 최선의 노력은 무엇인가?
환경보호를 위해 우리 회사에서 할 수 있는 일은 무엇인가? 그리고 그것과 성장을 어떻게 연결시킬 것인가?

Chapter 5.
미래를
만드는 사람

"내가 가진 것이라고는 꿈과, 그리고 아무 근거도 없는 자신감뿐이다.
그리고 거기서 모든 것이 시작되었다."

— 손정의
(Softbank 회장, 19세에 세운 인생계획을
오차 없이 철저하게 달성한 야망가)

"불공평하다고 생각을 할 때 '남 탓'을 하거나 '내 탓'을 한다.
사실 둘 다 좋은 방법이 아니다.
'꿈 탓'을 해야 삶이 건강해질 수 있다.
방향을 가진 사람은 불공정한 상황이 와도 쉽게 포기하지 않는다.
'가야 할 곳'이 있고 '이루어야 할 일'이 있으니
자신을 넘어뜨린 그곳에서 다시 시작한다."

— 윤동환
(한국콜마 회장, 국내 최고의 화장품 ODM 생산기업을 만든 기업인)

"도전하는 것이 중요하다. 일단, 도전하면 성공할 때까지 가는 것이다.
그래서 실패란 단어는 없는 것이다. 아직 성공하지 않은 것일 뿐이다.
실패라는 것은 관뚜껑 닫기 직전에만 쓸 수 있는 말이다.
어려울지언정 불가능이란 말은 없는 것이다."

– 서정진
(셀트리온 회장, 45세에 창업하고 생명공학, 의학,
약학을 독학하며 세계적인 바이오기업을 만든 기업인)

"길을 모르면 길을 찾고, 길이 없으면 길을 닦아야지."

– 정주영
(현대그룹 창업자, 추진력과 검소로 대한민국 산업화의 상징적인 인물)

심리적 사망과 물리적 사망

어느 대학교의 심리학과에서 두 마리의 쥐를 다른 두 개의 물통 속에 각각 집어넣고 실험을 한 보고서가 있다. 한 통은 뚜껑을 닫고 약간의 아주 작은 숨을 쉴 수 있는 구멍들을 몇 개 뚫어 놓고, 다른 물통은 뚜껑을 열어놓았다. 뚜껑을 닫은 물통에 있는 쥐는 처음엔 열심히 헤엄을 치다가 곧 탈출할 수 없다는 사실을 깨닫고 기력이 약해지며 5분여 만에 물속에 가라앉아 죽고 말았다. 그러나 뚜껑을 열어놓은 물통에 있는 쥐는 탈출할 수 있다는 희망을 버리지 않고 계속해서 헤엄치는 것을 멈추지 않더니, 실험이 시작된 36시간 경과 후까지도 살아있었다.

캄보디아에서 냉동창고에서 일하던 직원이 퇴근 무렵에 실수로 냉동고에 갇히게 된 사건이 있다. 그는 냉동고의 온도를 알고 있었고, 다음 날 출근 시간이 되어야 동료가 자기를 구할 수 있다는 것을 잘 알고 있기에 완전히 희망을 잃어버렸다. 그는 매일 냉동창고에서 일하면서 너무 추워서 냉동고에 오래 있을 수 없다는 것을 알았고, 자신의 몸이 점점 얼어가는 것을 느꼈으며 곧 죽음이 임박했다고 생각했다. 그리고 마침내 숨이 끊어졌다. 다음 날 아침, 동료가 냉동고 문을 열고 주검을 발견했으나 냉동고가 어제 고장이 나서 섭씨 13도 정도를 계속 유지했다는 것도 발견했다. 그리고 벽에 연필로 쓴 글씨를 발견했는데, '손발이 얼어붙는다', '몸을 움직일 수가 없다', '이제 연필을 쥘 수가 없다'라고 적혀 있었다고 한다.

사장의 가장 큰 마음가짐 중의 하나는 긍정적인 마음이다. 이것은 회사를 운영하는 것만이 아니라 인생을 살면서도 꼭 필요한 것이다. 인생이나 회사나 공통적인 것이 있다. 언젠가 반드시 어려움이 닥친다는 것이다. 회사의 어려움은 초기 단계가 많고, 어느 정도 자리가 잡히면서도 어려움이 오며, 더 이상 성장이 안 되면서도 어려움이 온다. 자금의 어려움, 핵심 직원의 이직, 신제품 판매부진, 법적인 규제, 디플레이션 등 회사 내·외적인 크고 작은 어려움들이 있다. 아직 어려움이 없는 회사라면 곧 어려움이 닥친다고 생각을 하는 것이 좋다.

어려움이 닥칠 때, 우리 회사에 왜 이런 날벼락이 왔냐고 놀라기보다는 찾아온 손님이라 생각하고 늘 있을 수 있는 것처럼 대해야 한다. 그런 어려움에 고민하는 것을 넘어, 좌절하려 해서는 프로사장이 아니다. 인생도 마찬가지지만 사업도 장기 레이스이고 그 자체가 곧 인생이다.

5년만 사업해서 큰돈 벌고 그걸로 여생을 편히 쉬면 좋겠으나 사업이 그렇게 내 마음대로 되지 않을 것이다. 나머지 인생을 돈을 소비하면서 산다는 것도 행복한 듯이 보이지만, 그런 사람들도 생각만큼 행복하지 않다. 통계적이나 심리적으로 보아도 사람은 적당한 스트레스와 어려움이 있어야 훨씬 더 풍성한 삶을 살 수 있고 건강하게 살 수 있다.

　어려움은 혼자 오는 법이 없다. 반드시 해결책과 함께 온다. 그렇기때문에 같이 온 해결책이 어디에 있는지 찾아보는 것이 우선이지 실의와 좌절이 먼저가 아니다. 회사에 찾아온 문제를 해결하다 보면 내가 몰랐던 귀중한 정보를 얻을 수 있고, 나의 경쟁력을 높이는 기회가 될 경우가 많다. 그 기회를 살리려면 문제를 정면으로 맞이해서 제대로 해결을 하는 것이 중요하다. 물론 우선 급한 불을 꺼야 할 경우도 있지만 불을 끈 뒤에 근본적인 해결책을 마련해 두면 차후에 같은 어려움이 오는 것을 예방하고 회사의 체력이 증강된다.
　예를 들면, 운전자금이 부족한 어려움이 생기면 급하게 자금을 조달하여 불을 끄는 것이 우선일 수 있으나, 그 후에는 반드시 장기적인 자금조달이나 현금흐름에 대한 구조를 바꾸어서 그 어려움을 통해서 회사의 체질을 높이는 것이다. 이럴 때에는 긍정적인 마음이 중요하다. 이 긍정적인 마음이 희망이다.
　나는 희망을 두 가지로 구분한다. 건설적인 희망과 낙천적인 희망이다. 현실에 대한 정확한 분석에 따른 차기 계획을 세우고 활기차게 전진하는 것이 건설적인 희망이고, 현재의 시장상황, 경쟁 등 현실에 대한 면밀한 분석없이 그냥 낙천적으로 미래를 예상하고 달려가는 것은 낙천적 희망이다. 사장은 근거가 확실한 긍정주의자여야지 과도하게 긍정하는 낙천주의자가 되어서는 안 된다.

희망은 어떠한 상황에서도 길이 있다는 마음이고 절망은 그 길을 찾기보다 좌절부터 하는 것이다. 좌절해서 세우는 대책은 회사와 조직을 살리기보다는 큰 기회를 보지 못할 가능성을 높인다.

극단적인 예를 들면, 찾아온 문제의 가장 좋은 해결책은 회사를 청산, 파산하는 것일 경우도 있는데, 그럴 때에도 다시 재기할 수 있는 희망을 가지고 추진하면 깔끔하게 정리를 할 수 있고 차후에 재창업을 해서 성공할 수 있는 불씨를 살려 놓는 것이다.

하지만 창업한 회사를 접는다는 좌절된 마음으로 의기소침해서는 재기해서 성공할 수 있는 태도를 갖출 수 없다. 마지막 정리도 잘못하여 관계 업체들에 피해를 주고 재기할 수 있는 불씨를 꺼뜨릴 수 있다. 재기도 주위 사람들의 도움이 절실하기 때문이다. 지금이 아니면 다음에 기회가 올 수도 있다는 희망을 가지면 자신의 부족한 것을 보완해서 다시 도전할 수 있는 불씨를 살려 놓는 것이다. 물론, 회사를 접는 결정은 모든 해결책을 검토한 뒤에 어쩔 수 없는 경우에 해야지, 쉽게 접었다가 다시 창업해서는 그 위기의 순간을 잘 넘기면 다시 찾아올 도약의 기회를 잃어버릴 수 있다.

중요한 것은 상황을 긍정적으로 보는 습관을 들이다 보면 언제나 해결책이 보이게 마련이라는 사실이다. 그러면 오는 기회를 날리는 우를 범할 확률을 현저히 줄이게 된다. 언제나 희망을 갖자. 사람은 희망이 없으면 살 수 없다고 한다. 사장은 희망을 잃으면 회사를 경영할 수 없다.

 생각해보기

- 위의 사례처럼 심리적인 사망이 실제 사망으로 이어짐을 믿을 수 있겠는가?
- 나는 아침에 출근할 때 희망찬 마음으로 집을 나서는가? 그렇지 않다면, 무엇을 바꾸어야 되는가?
- 나는 긍정주의자인가, 부정주의자인가? 아니면 낙천주의자인가?

현재 나이 빼기 기대 여생

얼마 전 어느 식당에서의 모임이 직전에 취소된 것을 모르고 갔다가 그냥 혼자서 식사를 한 적이 있다. 옆에 70세가 조금 넘은 듯한 노인 세 분이 대화하시면서 현재가 노인들에게 살기가 가장 좋은 때라고 하는 말을 들었다. 가족에 관한, 하시는 일에 관한, 그리고 사회에 관한 이런저런 이야기들을 들으면서 건강하신 분들이라는 생각이 들었다. 그 분들의 경제 형편이 어떤지, 사시는 모양이 어떤지 잘은 모르겠으나 친한 친구들끼리 식사하면서 누굴 비판하거나 비관적인 얘기보다는 전반적으로 긍정적으로 생각을 하시고 현재의 상황을 낙관적으로 말씀하시는 것이 좋아 보였다.

요즘은 70세는 넘어야 노인으로 인정을 해주는 분위기다. 대법원에서 얼마 전에 육체적 근로의 정년을 기존 60세에서 65세로 판결했다. 기술과 의학이 발달하면서 기대수명도 점점 늘어나고 있다. 하지만 나이에 관한 기준은 사람마다 많이 다르다. 본인의 건강과 처한 상황, 그리고 가치관에 따라서도 다르다.

어느 모임에서 각자의 남은 여생이 몇 년인지 말해보는 시간을 가졌다. 나는 55세인데, 35년이라고 말했다. 90세를 나의 기대수명으로 본 것이다. 지금 남자의 평균수명이 80세이고 10년 전보다 3년이 늘어났으므로 산술적으로 현재 추세대로만 가도 내가 90세가 되면 그 나이가 평균수명일 거라는 생각에서다. 아직도 많은 시간이 남았다. 인생 2모작에서 인생 3모작도 준비해야 할 것이다.

오래전도 아닌 때에 우리 사회는 55세가 정년이었고 현직에서 은퇴를 해야 했었다. 그러나 지금은 55세면 살아갈 세월이 살아온 세월만큼 남을 수도 있다. 그래서 40세 후반이든 50세이든 시간을 내서 자신의 살아온 인생을 한 번 돌아보면서 스스로 반성과 격려를 하고 이제 인생 2막을 준비하는 것이 필요하다. 사람에 따라 차이는 있겠지만, 몸이 전과 같지 않고 기억력도 감퇴하는 시기이기 때문이다. 그리고 인격적으로 원숙해지고 신중해지며 경험에서 우러나는 판단력은 정점을 찍는 시기이기에 외적인 환경과 더불어 자신을 살펴보고 다시 출발하는 것이다. 그러면 인생을 두 번 사는 느낌이 들고 새로운 마음으로 더 힘차게 시작할 수 있다.

한 번은 현재 나이에서 기대 여생을 차감해 본 적이 있었다. 그랬더니 20세가 되었다. 20세! 꽃다운 나이다. 한창 공부하고 미래를 고민할 때다. 나는 언젠가 다시 20대로 돌아간다면 지나온 그때와 같지 않게 살고 훨씬 풍요롭고 지혜롭게 살리라고 생각을 한 적이 있었다. 그런데 이렇게 55세에서 35년을 빼고 나니 다시 그때로 돌아간 느낌이다. 아니, 실제 그런 것 같다. 물론 몸과 두뇌가 그때와 다르지만, 그때의 설렘과 희망을 갖는다. 이제 다시 시작이다. 20세 청춘은 다시 시작됐다. 그동안 수고한 나에게 위로해주고 또 박수를 보낸다. 어려웠던 일들, 부끄러웠던 일들, 고생한 일들, 그리고 재미있었던 일들, 즐거웠던 일들, 보람 있었던 일들….

그렇게 무대의 1막을 닫는다. 즐거운 기억과 함께 후회도, 회한도 사라진다. 원망하는 마음도 사라진다. 그리고 다시 무대의 2막을 올린다.

2막은 어떻게 살까? 좀 더 사랑하고, 좀 더 도와주고 나누며, 좀 더 나답게, 여유롭게 살고 싶다. 그리고 좀 더 깊이 있게 살고 싶다. 70세 전후에 다시 한번 마음을 잡아 3막까지 살아서 인생을 3번 살고 싶다.

동양과 서양은 나이에 대한 견해 차이가 많다. 동양에서는 나이를 서열화시킨다. 한 살이라도 많으면 형으로 대접받고 싶어 한다. 특히 우리나라는 유교적 전통도 있고 모든 남자들이 계급사회인 군대에 다녀와서인지 유독 남자들 사이에 나이 서열을 많이 따진다. 하지만 서양에서는 동양만큼 나이에 대해 큰 의미를 두지 않는다. 나이가 많은 것보다 능력을 먼저 따진다. 나이가 많다고 무조건 대우해주지 않는다. 호칭이 복잡하지 않고 웬만한 관계에서는 모두 동일하게 부르는 것도 그런 문화의 영향이다. 동서양의 이런 차이는 장단점이 있어서 어느 쪽이 좋다고 할 수 없다.

　그러나 동양에 속한 우리는 나이의 틀 안에 갇히는 것을 경계해야 한다. 내 나이가 이 정도 되니 이런 대우를 받아야겠다는 생각보다 그 나이에 맞는 경륜과 원숙미를 갖추어야 한다. 내 나이에 그런 일은 창피하다거나 너무 이르다고 스스로 틀 안에 들어가지 말고 자신을 객관적으로 바라보자. 그리고 사회의 선입견에 이의를 제기하고 낡은 틀을 깨는 개척자의 자세를 가지자.

　덧붙여 보다 젊은 사람들에게 당부하고 싶은 말은 가능한 한 많은 경험을 하라는 것이다. 여행도 많이 가고 여러 종류의 아르바이트도 하며, 이성도 사귀어 보고 다양한 좋은 친구들과 우정을 나누며, 취미도 가능하면 여러 개를 가지자. 책 등을 통해서 간접 경험을 해볼 수 있겠지만, 직접 경험한 것에는 미치지 못한다.

　젊음의 장점이라면 거리낌이 없다는 것이 아닌가? 실수해도, 어려워도, 낯선 환경에서도 그냥 씨익 한 번 웃으며 나갈 수 있다. 그럴 수 있을 때, 가급적 이것저것을 직접 해보면 나중에 살아가면서, 사업적으로 판단을 내릴 때 많은 도움이 되며 어려움을 극복할 수 있는 힘이 된다.

　한 분야의 직업이나 일로 평생을 사는 것도 행복이지만, 그럴 수 없을 상황이 닥칠 때라든지, 은퇴 후에 나이에 적합한 일을 계속하려면 다양한 취미, 경험, 학습에서 실마리를 발견할 수 있다. 그리고 추억은 덤으로 가져갈 수 있다. 그렇다고 몸을 망가뜨려 가면서까지 할 필요는 없고, 나에게 부정적 영향을 끼칠 곳에 일부러 들어가서 경험하라는 것이 아니다. 나의 미래에 도움이 되고 좋은 인격 형성에 자양분이 될 수 있는 것들을 해보라는 것이다. 청년 때 많은 경험을 해보길 권한다.

 생각해보기

– 나의 평균 기대수명을 알아보고 현재 나이에서 그 기대수명을 빼면 몇 살인가?
– 나이 때문에 포기한 것은 무엇인가? 그것은 전혀 불가능한 것인가? 아니면 지금이라도 할 수 있는 것인가?

인류문명의 계승자

　잘 알고 있다시피 근래 한국의 20, 30대들이 가장 관심을 가지고 있는 것 중의 하나가 공무원 시험이다. 경제가 발전하고 먹고 사는 문제가 해결되면서 '안정'에 대한 욕구가 커진 탓이다. 70년대에는 대기업 종합상사에 근무하는 것이 최고의 자랑이었다. 대우도 좋기도 하거니와 해외여행은 일부 사람들만 갈 수 있던 시절에 해외를 자주 갈 수 있는 점이 부러움의 대상이었다. 80년대에는 우리나라 증권시장이 뜨거워지고 투자회사들이 인기를 끌면서 투자, 금융 업종이 인기를 끌었다. 증권회사나 투자회사에서 상당한 고임금을 받는 사람들이 나오면서 인기 직종이 되었다. 그러다가 90년대 들어서면서 안정적이면서 고소득이 보장되는 전문직 선호 현상이 두드러지고, 결혼 중매하는 속칭 '뚜쟁이' 들이 변호사, 의사, 회계사 등의 전문직종 사람들을 찾느라 눈이 벌개졌었다. 그리고 2000년대에 들어서면서 70년, 80년대에 인기를 끌지 못하던 공무원이 직업 선호도 상위를 차지하더니 이제는 1위에 입성을 했다.
　90년대 말에 인터넷이 발달하기 시작하면서 코스닥 시장이 개설되고 IMF로 일자리를 잃었던 수많은 인재들과 대학교수들까지 가세하면서 일었던 벤처기업 열풍이 기억난다. 그러나 그것이 거품으로 변하고 꺼지면서 창업에 대한 의지가 10여 년간 침체된 것은 가슴 아픈 일이다. 하지만 그 속에서도 한글과 컴퓨터, 다음, 네이버, 메디슨 등 크게 성장하여 현재까지 이어가고 있는 업체들이 탄생했다.

직업의 변천사는 시대에 따른 총체적인 생활과 문화를 반영한다. 공무원 합격률은 분야에 따라 크게 차이가 나지만 최소 몇십대 일에서 몇백대 일까지 어려운 관문이다. 하지만 이들이 알아야 할 것이 있다. 물론 공무원이 적성에 맞고 공공기관에 들어가서 공익을 위한 일에 헌신한다는 생각으로 수험 준비를 하는 사람들에게 말하는 것은 아니다. 단지 안정만을 바라고 공무원이 되겠다는 사람들에게 하는 말이다. 공무원도 이제는 점점 업무 강도가 강화되고 잘못하면 자리에서 물러날 수 있다. 또 연금 정책도 예전만 못하고 더 좋아지지는 않을 것이다. 그리고 무엇보다 공무원에게는 '안정'도 중요하지만, 시민의 세금으로 급여를 받는 시민의 도우미라는 사명감이 필요하다. 공익적인 마인드가 없다면 본인도 불행하고 사회도 불행하다. 무엇보다도 젊은 시절에 안정된 삶에만 의지하려고 하는 추세가 안타깝다. 안정된 삶을 추구하는 것은 당연한 듯이 보이지만 나는 젊은 시절은 도전하고 좌절도 해보며 경험을 축적하는 시기라고 본다.
다른 나라의 사례를 보면, 이스라엘의 경우 우리나라보다 1인당 국민소득이 더 높다. 사막이 많고 천연자원이 부족하며 사방에 적들이 있는 이 작은 나라는 창업으로 경제 강국이 되었다. 젊은이들이 취업할 양질의 일자리가 부족해서 국가의 적극적인 지원도 한몫했지만, 훨씬 더 중요한 것은 그들의 도전정신이다. 중고생 때부터 파트타임으로 용돈을 버는 문화가 자리 잡아서 공부만 하고 일을 안 하면 오히려 이상하게 취급한다. 모든 것을 부모가 다 해줄 테니 공부만 열심히 하라는 최근 우리나라의 부모들이 배워야 할 것이다. 대학생이 되면 대부분의 학비는 직접 일을 하여 해결하고 부모로부터 독립한다고 한다. 사회에 나가기 전부터 일을 통해 다양한 경험을 하고 사회를 이해하는 능력이 뛰어나서 창업에 대해 두려움을 덜 가질 수밖에 없다.

한 구직사이트의 2019년 발표에 따르면 한국에서는 성인이 되어서도 부모에게 전적으로 의존하는 이른바 '캥거루족'이 60%가 넘고 직장인도 40%가 의존을 하며, 결혼을 해서도 15%가 아직도 부모에게 의존한다고 한다. 대부분은 경제적인 의존이다. 물론 우리나라 부모들의 지극한 자식사랑(?)이 한몫을 하고 사회적 현실도 무시할 수는 없지만, 가장 중요한 것은 스스로 독립하여 모든 문제를 해결하려고 하는 정신이 부족한 것이다. 이스라엘은 우리보다 취업 현실이 더 심각하지만, 일찌감치 부모에게 의존한다는 생각을 아예 접어놓고 있으니 해결할 길이 보이는 것이다.

공무원, 대기업만 바라보기보다 작은 회사에서 최소 5년 이상 경험을 쌓을 것을 권한다. 그러고 나서 회사생활을 계속할지, 아니면 창업을 할지를 결정해도 늦지 않다. 작은 회사는 안정성이 떨어질 수는 있지만 여러 가지 분야를 경험할 수 있고, 내가 올린 성과가 금방 경영층에 전달된다. 회사에서 5년 정도 일하면 그 회사에 속한 산업을 알 수 있고 어느 정도 업무에 익숙해지면서 전체적인 그림을 그려 볼 정도가 된다. 그동안 열심히 노력해왔다면 그 업계에서 내가 개인적으로 독립해서 할 수 있는 무언가가 보일 것이다. 유능한 사람이라면 어쩌면 3년 만에 그런 눈이 뜨일 수 있다. 아마 그 정도가 되면 정상적인 회사라면 유능한 직원을 붙잡기 위해 좋은 조건을 제시할 것이고 다른 회사에서 스카우트 제의가 올 수 있다. 그때 가서 창업과 전직, 혹은 계속 한 직장에 머물지를 결정해도 늦지 않다.

사업 성공의 비결을 간단하게 말하자면 사람들의 필요를 찾아 그 것을 제공하는 것이다. 좀 더 구체적으로는 다른 사람이 하기 싫어하는 것을 찾아 효율적으로 제공하는 것이다. 창업 시 회사를 접는 최악의 상황도 염두에 두는 것이 현명하지만, 실패를 위한 창업이어서는 안 된다. 실패도 제대로 회사를 창업해서 운영을 한 후에야 실패에 따른 경험이 약이 되는 것이다. 어려움이 있다고 쉽게 접는 것이 아니라 최선을 다해서 위기를 극복하는 열정에 계속 불을 지펴야 한다. 그렇게 신중하게 잘 시작해서 운영하고 어려움을 극복해 갔지만 결국 문을 닫을 수밖에 없는 경우도 염두에 두어야 한다는 것이다. 그리고 실패 원인에 대한 반성을 통해 재차 창업해서 성공한 경우가 훨씬 많다. 고생은 젊어서 하라는 말이 가장 잘 적용되는 경우는 창업이다.

　회사 전체를 책임지고 운영하는 경험은 직접 해봐야 한다. 아무리 이론적인 공부를 해봐야 그 속을 제대로 이해할 수 없다. 동업이나 여럿이 같이 창업을 하는 것도 나쁘지 않다. 각자의 역할을 분배해서 더 효율적으로 해나갈 수 있고 리스크도 분산된다. 그러나 그 우정이 깨지지 않도록 조심해야 한다. 어려울 때 힘이 되기보다 오히려 짐이 되지 않게 아무리 친하더라도 동업계약서를 통해 서로의 책임과 업무의 한계를 명확히 하는 것이 좋다. 모두 성인군자라면 모를까, 의기투합했지만 사람인지라 여러 상황에 따라 파트너십이 깨어지고 우정도 금이 가는 경우를 많이 본다. 돈을 꾸어주는 경우와 상황이 비슷하다. 개별 상황에 따라 다르지만 혼자 창업을 하면 모든 것을 혼자 하기에 모든 영역에서 경험을 쌓을 수 있고, 운영하다가 부족함을 느낄 때 적절한 인재를 채용하면 된다.

　처음하는 창업이라면 너무 큰 리스크를 가지고 하지 말기 바란다. 실패해도 전혀 걱정없이 돈을 많이 가지고 있지 않다면 최소한의 비용으로 창업을 하라. 처음부터 모든 자원을 부어서 창업하여 재기할 여력을 없게 해서는 안 된다. 지금은 많은 돈을 들이지 않아도 할 수 있는 아이템이 많이 있고, 정부기관의 지원제도를 활용하면 자금을 절약할 수 있다. 창업 아이템은 각자의 경험과 통찰력과 주위의 조언 등에서 나오지만 노력을 통해서 아이템을 보는 눈을 높일 수 있다. 평소에 호기심을 가지고 불편한 점들을 발견하는 습성을 들이고, 시장조사를 통해서 어느 정도 확신을 갖을 수 있다.

시장조사도 하나의 전문적인 분야이지만 요즘에는 누구나가 쉽게 인터넷을 통해서 어느 정도 환경과 경쟁상황, 전망에 대한 조사 수행이 가능하다. 사업을 시작하고 사업계획서를 작성하기 전 사업타당성조사를 해야 한다. 이것은 시장성, 경쟁상황, 수익성, 전망 등에 대해서 조사를 하는 것으로, 과연 이 사업을 해야 하는지에 대해서 진지하게, 체계적으로 생각해보는 것이다. 사업계획서가 자칫 긍정적인 작성과 투자유치 등 다른 사람들에게 보여주는 것이 될 수도 있기에 그 전에 그 사업을 정말 해야 하는가에 관해서 먼저 성찰하는 시간이 필요한 탓이다.

세계 최초로 북극을 정복한 로알 아문센은 이렇게 말했다.

"승리는 준비된 자에게 찾아오며 사람들은 이를 행운이라 말한다. 패배는 준비되지 않은 자에게 찾아오며 사람들은 이를 불행이라 부른다"

그는 에스키모와 같이 살면서까지 철저하게 북극 횡단을 준비했다. 이와 반대로 유사한 시점에 북극 정복을 위해 출발했던 로버트

스콧은 준비 미비로 인해 북극에 도착하자 이미 먼저 도착한 아문센 팀의 깃발만을 보게 되었다. 그리고 식량과 장비, 경험 등의 부족으로 돌아오는 길에 모두 사망하였다.

사업 전 철저한 준비는 기업성공에 필수이고, 최악의 시나리오를 가정하고 시작한 사업은 설사 실패하더라도 곧 재기할 여력을 남기게 된다. 제품에 대한 아이디어가 떠오르고 개략적이나마 시장조사와 타당성조사를 통해서 사업에 대한 확신을 지니게 되면 샘플을 만들어 보자. 샘플을 만들 때는 3D 프린팅을 이용하여 저렴하게 제작할 수도 있고 동작이 되지 않고 모양만 있는 샘플(Mock-up 샘플)을 만들어 시장에 테스트 하는 것이 비용을 더 아낄 수 있다. 비용을 최소화해야 시장성이 없다는 결론이 날 때, 쿨하게 손을 털고 다른 아이템을 즉시 찾을 수 있는 여유가 생긴다. 처음부터 많은 비용을 들여 샘플을 만들던지, 때로는 큰돈을 들여 완제품을 만들다 추측이 빗나가기라도 하면 다시 새로운 아이템을 찾으려는 의욕을 잃기 쉽고, 사업자금 마련에 또 많은 시간이 소요된다.

제품이 아닌 서비스 모델이라면 그 모델을 큰돈을 들여서 처음부터 구축하려고 하지 말고 될 수 있는 한 저렴하게 간략한 모델을 만들어 시장에 테스트를 해보자. 요즘에는 재능이 있는 프리랜서들을 사용할 수 있는 마켓플레이스가 여러 개 있으므로 그들을 잘 활용하면 저렴하게 서비스 모델을 우선 만들어서 시장의 반응을 알아볼 수 있다. 본인이 아무리 확신하는 아이템이라도 확률적으로 많은 창업자가 실패한다. 나는 그 확률의 적용을 받지 않는다는 생각은 위험하다.

창업은 국가적으로는 고용을 창출하고 지역경제를 돕는 공공성과 더불어 생계를 해결하고 인생에 보람을 갖게 한다. 창업은 가치를 창출하는 것이고 이를 통해 문명사회가 지탱되어 나아간다. 인류가 태초부터 가치를 창출하지 않았다면 여전히 우리 모두 각자 들로 나가 벼를 심고, 과일과 채소를 얻기 위해 밭을 일구며, 돼지를 키웠을 것이다. 그리고 먼 친척집에 가기 위해 며칠을 걸어야 했을 테고, 집을 지을 재료를 찾으러 산과 들을 뒤지며 돌아다니다가 호랑이나 사자의 밥이 되었을지도 모른다.

창업자는 인류문명의 계승자이다. 창업은 만만치 않고 많은 사람이 실패한다. 그러나 실패를 통해서 많은 것을 얻을 수 있다. 실패를 두려워하면 성장할 수 없다. 그렇지만 최대한 리스크를 줄이면서 여러 번의 실패경험을 하기 위해서는 최소한의 비용으로 실패를 해야 한다. 다시 시작할 수 있도록, 그러다 보면 성공한다.

내가 창업을 권하는 것은 그 경험 자체도 무시할 수 없기 때문이다. 물론 잘 되어서 성공적인 기업이 탄생할 수도 있다. 그것을 목표로 시작해야 한다. 아이디어를 구체화시켜 사업계획서를 만들고 사업자 등록을 하며 역할을 분담하는 등 사업체 조직을 하고 제품이나

서비스를 만든다. 그리고 자금유치를 하고 마케팅을 하고 자금관리를 하는 기업의 전 과정을 모두 경험해 볼 수 있다.

전근대 시대는 과학자에 의해서 문명이 혁신되었다. 그들의 발명과 발견에 의해서 세상이 변혁되었다. 우리는 현재 자본주의 사회에 살고 있다. 자본주의는 시장경제와 자유경쟁을 기반으로 하고 그 주축은 기업이다. 산업혁명 이후 세상을 변혁시킨 발명, 발견, 혁신은 누구로부터 나왔나? 기업이다. 세상을 멈춘 코로나 백신도 기업이 만들었다. 본인의 꿈과 분야가 무엇이든 자본주의의 핵심을 직접 경험하게 되는 기회를 가져보기를 권한다.

아래는 미국 실리콘밸리에서 지금까지 150여 개 IT 스타트업(Startup)에 투자한 액셀러레이터(Accelerator)인 와이컴비네이터(Y Combinator)가 작성한 스타트업을 위한 어록에 필자가 부연 설명을 더한 것이다. 본 내용은 주로 미국 IT 스타트업에 적합한 것으로 기업의 규모나 업력, 분야에 따라 적절히 참고하기 바란다.

① 지금 시작하라. – 완벽한 제품을 기다리기보다 불완전한 제품을 신속히 개선하라.
② 사람들이 원하는 것을 만들어라. – 사람들을 면밀히 분석하라.
③ 초기 단계에서 너무 크게 시작하려 하지 말라. – 개선과 후퇴를 염두에 두어라.

④ 당신의 제품을 사랑하는 10~100명의 고객을 찾아라. – 그들로부터 시작이 된다.

⑤ 모든 스타트업은 어느 시점에서는 심하게 망가졌다. – 시련의 시간은 필수적이고 그 시간을 극복하면서 사업체질이 강해진다.

⑥ 비즈니스 모델을 만들고 사용자들과 대화하라. – 사용자들의 반응을 모르면 엉뚱한 길로 간다.

⑦ 당신의 돈이 아니다. – 투자금에 대한 도덕적 마인드가 없으면 찾아온 기회를 잃는다.

⑧ 성장 단계에서는 선구자가 아닌 훌륭한 제품이 결과를 만든다. – 끊임없이 제품을 개선하라.

⑨ 사람들이 원하는 것을 구축할 때까지 팀/제품을 확장하지 마라. – 일단 비즈니스 모델의 기본 뼈대가 갖추어지고 고객의 피드백을 받아 그 모델의 시장성을 확인 후, 확장하는 것이 좋다.

⑩ 회사의 가치는 성공 또는 성공 확률과 같지 않다. – 누구나 성공하는 비즈니스는 가치가 없다.

⑪ 가능하면 큰 고객과의 장기 협상을 피하라. – 오랜 시간 후 남는 것이 없어 귀중한 시간을 뺏길 수 있다.

⑫ 고객을 확보하는 가장 좋은 방법에 관한 것이 아니라면 회의를 피하라 – 회사의 이익에 직접적으로 도움이 되지 않는다면 스피드가 생명인 사업 초기. 여러사람들의 귀중한 시간을 낭비할 필요가 없다.

⑬ 사전에 제품의 시장 적합성을 검증하라. – 작게 작업을 수행하고 민첩함을 잃지 마라.

⑭ 스타트업은 주어진 시간에 하나의 문제만 잘 해결할 수 있다. – 현재 가장 중요한 문제 하나에 집중하고 될 수 있으면 여러 가지 일을 벌이지 마라.

⑮ 창업자들의 관계는 생각보다 더 중요하다. – 많은 스타트업이 내부 관계로 어려움에 처한다.

⑯ 때때로 당신은 당신의 고객을 해고해야 한다. – 그들이 당신을 죽일 수도 있다. 충성고객, 단골고객과 더불어 악성고객(Black Consumer)을 구분하라. 많은 고객이 반드시 높은 수익을 가져다주지 않는다.

⑰ 대부분의 기업은 돈이 없어 죽지 않는다. – 돈 이외의 것이 매력이 있으면 돈은 따라온다.

⑱ 숙면을 취하고 운동하라. – 최고의 컨디션으로 사람을 대하고 일을 해서 당신의 에너지가 강력한 자석이 되게 하라.

 생각해보기

– 창업에 대해서 내가 두려워하는 것은 무엇인가? 그것은 정말 심각한 것인가? 그것을 경감할 수 있는 방법은 없는가?
– 자본주의 사회에서 핵심 주체인 회사를 창업하고 운영한 경험이 없다는 것은 어떤 의미인가?
– 일 년에 하나씩 회사를 창업하는 연쇄 창업자는 특별한 능력이 있는가? 아니면 그 방법을 알고 자주 실천에 옮기는 것인가?

이 세대의 가장 중요한 사명

얼마 전에 기업인 지인들과 판문점 근처에 간 일이 있었다. 통일대교를 건너기 전, 긴 통과절차를 거친 후에 판문점에 도착해서 북녘 땅을 바라볼 수 있었다. 개성공단이 손에 닿을 듯이 가까이 있었고, 높은 탑 위에 커다란 인공기가 펄럭이고 있었다. 사진을 한 장 찍고 묵묵히 그곳을 바라보면서 70년 세월 동안 벌어진 일들이 주마등처럼 스치고 지났다. 그리고 얼마 전 판문점에서의 남북과 북미 정상회담, 그리고 다시 교착된 관계가 떠오르면서 다짐하게 되는 한 가지가 있었다.

'내 세대 안에 통일이 되어야 한다'

그리고 그렇게 될 것을 확신했다. 누가 먼저 만들었는지 모르겠으나 태극기와 인공기가 유사한 모양과 높이, 크기로 1km 정도 떨어진 거리에서 마주보고 있는 모습이 마치 남북대치 상황보다는 서로 형제같이 느껴졌다. 그러면 나는 통일을 위해서 무엇을 해야만 하는가? 우리는 어떤 준비를 해야 하는가? 평소에는 이러한 질문들이 언론에 등장하는 기사를 보면서도 와 닿지 않았는데 이곳에서는 절박하게 느껴졌다.

우리나라가 구한말 국치를 당한 것 중에 가장 큰 원인은 분열이다. 일본은 상대적으로 외세에 저항하다가 어느 순간 정책 전환을 해서 나라를 정비하고 국력을 키우는 데에 외세를 활용하여 우리나라와의 격차를 벌렸다. 그러나 우리의 통일 왕조는 오랫동안 내부적으로 정파가 분열되어 힘을 하나로 합치지 못했고, 기득권을 유지하려고 외세에 문을 닫고 있다가 국력을 키울 기회를 잃고 말았다.

지금 이 시점에서 우리들이 할 일은 우선 국론을 하나로 합치고 단결하는 일이다. 서로의 주장을 논의하더라도 일단 결정이 나고 방향과 목표가 정해지면 함께 힘을 합해 나가야 한다. 내 기득권만 지키겠다는 것은 나라야 어떻게 되든 상관하지 않겠다는 발상이다. 국민이 있어야 국가가 성립하지만, 국가가 제대로 서 있어야 국민도 올바로 설 수 있다. 피 터지게 싸울 때도 있지만 국익을 위해서면 서로 양보할 수 있어야 한다. 국가라는 집에서 우리 모두는 형제, 자매이다. 우리 먼저 하나가 되어서 손을 내밀 때, 그 강력한 힘으로 통일을 이룰 수 있다. 외세를 잘 활용하는 것도 중요하지만, 이 나라가 먼저 강력한 국력을 갖추어야 한다. 그러기 위해서 나는 내 자리에서 내가 할 수 있는 일에 최선을 다해야 한다. 그리고 내 주위 사람들을 배려하고 하나가 되어야 한다. 한 사람의 국민으로서 적극적으로, 올바르게 참정권을 행사해야 한다. 국민 모든 개개인이 그렇게 할 때

통일은 점점 빨라질 것이다. 이것은 해도 되고 안 되도 그만인 것이
아니라 이 세대의 숙명이다.

언젠가는 통일은 될 것이다. 그런데, 지금이 바로 그때이다. 이런
절실한 사명 앞에 우리는 분열되면 안 된다. 다시 역사에 씻을 수 없
는 커다란 오점을 남겨서는 안 된다.

 생각해보기

독일 통일을 위해 국가와 시민들은 어떤 노력을 했는가? 그리고 통일
후 독일은 어떤 어려움을 극복하고 현재의 통일 독일을 이루었는가?
마지막 분단국가에서 통일 대한민국을 후대에 물려주기 위해 나는 어떤
노력을 해야 하는가?

초판 1쇄 2021년 09월 10일

지은이 조계진
발행인 김재홍
총괄 · 기획 전재진
디자인 김은주
마케팅 이연실

발행처 도서출판지식공감
등록번호 제2019-000164호
주소 서울특별시 영등포구 경인로82길 3-4 센터플러스 1117호(문래동1가)
전화 02-3141-2700
팩스 02-322-3089
홈페이지 www.bookdaum.com
이메일 bookon@daum.net

가격 15,000원
ISBN 979-11-5622-621-5 03190